JACKPOT
Plaisirs et misères du jeu

Édition : Liette Mercier
Infographie : Chantal Landry
Révision : Brigitte Lépine
Correction : Odie Dallaserra

Catalogage avant publication de Bibliothèque et
Archives nationales du Québec et Bibliothèque et
Archives Canada

Bombardier, Denise, 1941-

Jackpot : plaisirs et misères du jeu

ISBN 978-2-7619-3717-7

1. Casinos. 2. Jeux de hasard. 3. Joueurs (Jeux de hasard).
I. Titre.

HV6711.B65 2015   795   C2015-941930-1

DISTRIBUTEURS EXCLUSIFS :

Pour le Canada et les États-Unis :
MESSAGERIES ADP*
2315, rue de la Province
Longueuil, Québec J4G 1G4
Téléphone : 450-640-1237
Télécopieur : 450-674-6237
Internet : www.messageries-adp.com
* filiale du Groupe Sogides inc.,
  filiale de Québecor Média inc.
Pour la France et les autres pays :
INTERFORUM editis
Immeuble Paryseine, 3, allée de la Seine
94854 Ivry CEDEX
Téléphone : 33 (0) 1 49 59 11 56/91
Télécopieur : 33 (0) 1 49 59 11 33
Service commandes France Métropolitaine
Téléphone : 33 (0) 2 38 32 71 00
Télécopieur : 33 (0) 2 38 32 71 28
Internet : www.interforum.fr
Service commandes Export – DOM-TOM
Télécopieur : 33 (0) 2 38 32 78 86
Internet : www.interforum.fr
Courriel : cdes-export@interforum.fr
Pour la Suisse :
INTERFORUM editis SUISSE
Case postale 69 – CH 1701 Fribourg – Suisse
Téléphone : 41 (0) 26 460 80 60
Télécopieur : 41 (0) 26 460 80 68
Internet : www.interforumsuisse.ch
Courriel : office@interforumsuisse.ch
Distributeur : OLF S.A.
ZI. 3, Corminboeuf
Case postale 1061 – CH 1701 Fribourg – Suisse
Commandes :
Téléphone : 41 (0) 26 467 53 33
Télécopieur : 41 (0) 26 467 54 66
Internet : www.olf.ch
Courriel : information@olf.ch
Pour la Belgique et le Luxembourg :
INTERFORUM BENELUX S.A.
Fond Jean-Pâques, 6
B-1348 Louvain-La-Neuve
Téléphone : 32 (0) 10 42 03 20
Télécopieur : 32 (0) 10 41 20 24
Internet : www.interforum.be
Courriel : info@interforum.be

10-15

Imprimé au Canada

Dépôt légal : 2015
Bibliothèque et Archives nationales du Québec

ISBN 978-2-7619-3717-7

Gouvernement du Québec – Programme de crédit d'impôt pour
l'édition de livres – Gestion SODEC –
www.sodec.gouv.qc.ca

L'Éditeur bénéficie du soutien de la Société de développement
des entreprises culturelles du Québec pour son programme
d'édition.

Conseil des Arts   Canada Council
du Canada   for the Arts

Nous remercions le Conseil des Arts du Canada de l'aide
accordée à notre programme de publication.

Nous reconnaissons l'aide financière du gouvernement du
Canada par l'entremise du Fonds du livre du Canada pour nos
activités d'édition.

Denise Bombardier

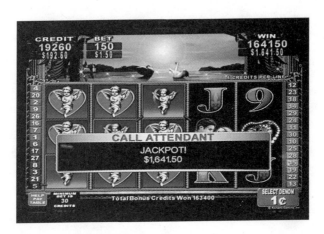

JACKPOT
Plaisirs et misères du jeu

LES ÉDITIONS DE L'HOMME
Une société de Québecor Média

À Vivian Viviers, ma première lectrice,
avec qui je partage ce plaisir du jeu et du rire.

AVANT-PROPOS

Du fond de mon enfance me revient l'excitation de mon incroyable tante Edna lorsqu'elle parlait des machines à sous. À l'époque, les appareils où se déroulait un rouleau couvert de cerises, de prunes, d'oranges et de sept pour le gain boni se trouvaient au fond de bars sombres et miteux, où ma tante se rendait en compagnie de son mari et de mes parents pour boire, à l'abri des regards, durant les longs samedis après-midi pluvieux. Nous, les enfants, attendions dans l'auto en grignotant des chips et en buvant du Cream Soda.

Lorsque ma tante gagnait quelques dollars, elle devenait généreuse et nous achetait des noix de cajou et des tablettes de chocolat. C'est sans doute la raison pour laquelle les machines à sous, à l'exclusion de tout autre jeu, qu'il s'agisse de poker, de roulette ou de blackjack, suscitent mon intérêt.

Quand j'étais plus jeune, il m'est parfois arrivé d'entrer dans des casinos. En France, entre autres, à Cannes d'abord, où dans les années 1970 les clients en smoking et en robe longue déambulaient à travers des salles magnifiques dans une atmosphère feutrée et quasi silencieuse. Mais à cette époque, il n'y avait guère de machines à sous dans ces casinos. La démocratisation viendrait plus tard.

Je me suis mise à fréquenter plus régulièrement les casinos il y a quelques années seulement, au hasard de mes voyages, mais surtout en Floride, où je réside durant l'hiver. Depuis ce temps, j'ai joué de Deauville à Venise, d'Atlantic City à Las Vegas, de Singapour à Macao et au Québec, où j'ai pu faire mes rencontres, car la notoriété est un laissez-passer aussi efficace que discret pour parler aux joueurs dans les casinos.

Les technologies ont transformé l'univers du jeu et l'avenir s'annonce problématique. Les enfants, accros aux téléphones intelligents qui leur donnent accès à des jeux conçus par ceux-là mêmes qui fabriquent les machines à sous que l'on trouve dans les casinos, risquent davantage de devenir des joueurs compulsifs lorsqu'ils accéderont aussi à l'argent. L'espérance de vie à la hausse et l'âge de la retraite à la baisse créent par ailleurs des générations de personnes que l'ennui menace et que l'on trouve dans les casinos de la terre entière.

Cet ouvrage est le fruit de lectures, d'entretiens, mais avant tout de la pratique du jeu. Autrement, comment comprendre le plaisir de jouer ? Comment décrire les dangers de l'addiction sans devenir soi-même un cobaye, avec tous les risques que cela représente ?

Le plaisir intense que procure le jeu et les dangers qu'il comporte sont indissociables. N'est-ce pas le propre de toute addiction ? Dans le monde de l'instantanéité et du veau d'or, où le désarroi est palpable et l'inquiétude le moteur de l'action, l'idée de décrocher un jackpot permet de rêver et de s'extirper d'un univers où trop de gens n'arrivent plus à supporter les ruptures diverses, la perte de sens de leur vie et la solitude.

Chapitre 1

LE JEU À TRAVERS L'HISTOIRE

Avec la prostitution, il semble que le jeu de hasard soit le plus vieux «vice» de l'histoire. On a trouvé des objets dans des tombes et des dessins dans des grottes qui indiquent que l'homme s'adonnait au jeu des milliers d'années avant Jésus-Christ.

L'homme a donc toujours aimé le jeu. À l'origine, on jouait pour connaître l'avenir et tenter de deviner la volonté des dieux. On lançait en l'air des osselets faits de petits os d'animaux divers, et interprétait leur configuration une fois qu'ils étaient retombés au sol. Dans le Nouveau Testament, l'évangéliste saint Jean rapporte que les morceaux de la tunique du Christ furent tirés au sort entre les soldats romains au pied de la croix une fois que Jésus eut rendu l'âme. À travers les siècles, on s'est longtemps servi de dés pour rendre justice et condamner les criminels. En Suède, cette pratique s'est poursuivie jusqu'au début du XIXᵉ siècle. Ce recours au hasard est caractéristique du comportement humain.

Par ailleurs, les jeux de hasard ont suscité des critiques, des condamnations et des interdits à travers l'histoire. Pendant les anciennes dynasties chinoises, dans l'Égypte du temps des pharaons, dans la Grèce antique et à Rome, au début de l'ère chrétienne, le jeu, perçu avec méfiance, était déjà réglementé. En Égypte par exemple, les joueurs excessifs pouvaient même être condamnés aux travaux forcés.

En Occident, le jeu à l'argent, tel qu'on le connaît, a pris racine au XVᵉ siècle avec la création de loteries. Les autorités et les gouvernements y voyaient déjà, à l'évidence, une source de revenus pour l'État. Dès le XVIIᵉ siècle, les premières maisons de jeu, ancêtres de nos casinos, en quelque sorte, deviennent légales. C'est alors que les philosophes et les mathématiciens découvrent avec intérêt les dés et les cartes, dans lesquels le hasard joue un rôle clé. Sans cet intérêt scientifique, la théorie des probabilités n'aurait sans doute pas vu le jour.

Le philosophe et mathématicien Blaise Pascal se passionne pour le sujet. Le fameux pari pascalien repose en effet sur le jeu. En résumé, l'argument de Pascal démontre que s'il y a une chance sur deux que Dieu existe, il vaut mieux parier sur l'existence de Dieu, puisque s'il existe, le croyant gagne le gros lot : une place au paradis pour l'éternité. Si Dieu n'existe pas, le croyant perd son pari, certes, mais sans conséquence pour sa vie après la mort. Par contre, le non-croyant qui parie que Dieu n'existe pas et gagne son pari n'est pas récompensé, mais s'il perd car Dieu existe, il est condamné à l'enfer pour l'éternité. C'est ainsi que Pascal, s'appuyant sur l'engouement pour les jeux de hasard, très répandus au XVIIᵉ siècle, a utilisé la notion de risque calculé pour convaincre les athées de se convertir au christianisme.

Les joueurs d'aujourd'hui ne pensent sans doute pas que le plaisir qu'ils éprouvent à jouer est de même nature que celui qu'ont ressenti les hommes depuis que le jeu existe. Le jeu a toujours été un moyen de provoquer le destin, d'intervenir dans la fatalité de la vie, de faire éclater les barrières sociales. Les joueurs appartiennent tous à la même confrérie, si l'on peut s'exprimer ainsi. Ils ne se distinguent que par le temps qu'ils consacrent au jeu et par les sommes d'argent qu'ils investissent dans cette activité qui suscite autant d'attrait que de crainte, à cause du rapport qu'entretiennent les êtres humains avec l'argent.

L'avènement de la technologie transforme désormais les façons de jouer. Internet en particulier transporte le casino dans l'intimité des gens et favorise la prolifération de joueurs solitaires et anonymes, une catégorie sans doute plus à risque de devenir accro. Devant un écran, isolé entre quatre murs, à l'abri de tout regard, le clic peut rapidement devenir toxique.

On estime de nos jours que 80 % des Occidentaux s'adonnent à l'occasion aux jeux de hasard. Ils achètent des billets de loterie (en 2014, en Floride, un gros lot de 525 millions a été remporté), fréquentent les casinos, jouent en ligne ou parient sur les résultats sportifs, les courses de chevaux, de chiens, voire de vers de terre.

Les Britanniques, eux, sont reconnus pour parier sur les épreuves sportives, les événements électoraux, mais aussi sur l'abdication éventuelle de la reine, l'heure de naissance d'un héritier royal, son nom, son sexe.

Le jeu a toujours suscité des réactions passionnelles. Longtemps considéré comme un péché par les religions, puis un vice et une faiblesse humaine, il a été banalisé, en quelque sorte, depuis les dernières décennies. Ce qui n'infirme en rien le danger d'addiction qu'il représente, au point où les responsables de la santé publique partout dans le monde mettent en garde contre les pathologies qu'il peut déclencher chez ses adeptes. Or, les spécialistes estiment que seulement 1 % de la population est composée de joueurs compulsifs qui exigent d'être pris en charge.

La multiplication des casinos à travers le monde, sauf dans les pays qui interdisent le jeu pour des raisons religieuses ou morales, en l'occurrence la quasi-totalité des pays musulmans par exemple, se poursuit. Et le jeu en ligne est désormais accessible à tous les utilisateurs d'Internet.

Bien que les revenus du jeu diminuent en période d'austérité économique, les gains du jeu, de toutes les activités du jeu, représentent une mine d'or pour les gouvernements. La Floride compte 35 casinos, dont les plus renommés, 8 au total, appartiennent aux Séminoles de Floride, une tribu qui ne compte que 3500 personnes. En 2010, une entente a été conclue entre les membres de la tribu et l'État, leur donnant les droits exclusifs d'organiser des jeux de cartes comme le blackjack dans leurs casinos. Les Séminoles se sont engagés à payer à l'État un minimum d'un milliard de dollars sur cinq ans. D'autres Amérindiens possèdent de nombreux casinos à travers les États-Unis et au Canada, dans certaines provinces dont le Manitoba et la Colombie-Britannique.

En France, les casinos sont le fait d'intérêts privés, leur nombre est réglementé et l'État ponctionne des milliards d'euros en taxes. Au Québec, les casinos appartiennent à l'État, qui les contrôle par un organisme public, Loto-Québec, dont les dirigeants sont choisis par le gouvernement, qui fixe en quelque sorte ses profits. Au Royaume-Uni, une proportion des revenus de la National Lottery sert à subventionner toute une série d'activités, dont la protection du patrimoine, les arts, le sport et l'environnement. Chaque pays encadre donc le jeu, un mal nécessaire pour ses critiques, mais qui permet aux gouvernements de percevoir des taxes volontaires indirectes, particulièrement bienvenues en cette période d'austérité budgétaire à travers la planète.

Depuis la nuit des temps, donc, le jeu existe tout en provoquant la méfiance, l'attirance, le rejet ou l'engouement. Le jeu, sous toutes ses expressions, s'inscrit ainsi profondément dans la nature humaine.

Chapitre 2

LE PROCÈS DU JEU

La majorité des gens qui s'adonnent au jeu sont à l'abri de l'addiction, si l'on se réfère aux statistiques et aux experts en la matière, psychiatres, psychologues, travailleurs sociaux, criminologues. Cependant, le jeu a mauvaise réputation. Plus que la drogue ou l'alcool, à vrai dire. À preuve, vous entendrez rarement des personnalités médiatiques ou des stars se vanter publiquement d'être des joueurs, sauf s'ils s'adonnent au poker, qui est de nos jours très glamour, surtout auprès des jeunes hommes. Les stars, en revanche, raconteront volontiers, avec des rires entendus, qu'ils en ont «fumé du bon» (du pot), qu'ils n'ont pas raté une «ligne» (de cocaïne), qu'ils se sont soûlés jusqu'à plus soif. Je prends toujours un malin plaisir à dévoiler mon penchant pour les casinos, où je joue exclusivement aux machines à sous. L'effet est immédiat. Certains expriment leur incrédulité, d'autres leur stupéfaction, d'autres enfin sont incapables de masquer leur désappointement, voire leur dédain, ou leur méfiance. Des gens dont je sais qu'ils ont abusé et abusent encore de l'alcool, des calmants et des drogues plus ou moins douces posent sur moi un regard lourd de reproches. Et je suis prête à parier qu'ils me dépouillent de quelques qualités qu'ils me reconnaissaient avant l'aveu.

Aux États-Unis, Las Vegas s'est longtemps désignée comme ville du «vice». Elle attirait ainsi les malfrats, la pègre, mais aussi tous ceux, très nombreux, qui étaient aimantés par le soufre, l'interdit, la transgression qu'évoquait le nom Las Vegas. C'était son fonds de commerce, en quelque sorte, que le cinéma a contribué à mythifier dans de nombreux films. L'industrie du jeu ne souhaite plus que perdure cette mauvaise réputation qui l'étiquette et qui, par extension, s'étend à tous ceux qui s'adonnent aux jeux d'argent.

En français, il est impossible de traduire le changement de vocabulaire qu'a réussi à imposer l'industrie pour désigner la pratique actuelle du jeu. En anglais, on a toujours parlé de *gambling* et de *gambler*, des mots jugés désormais trop crus, trop explicites, et qui desservent l'industrie. On parle donc maintenant de *gaming*, un mot à la connotation plus ludique, plus inoffensive, plus morale pourrait-on dire, preuve évidente que les mots ne sont jamais innocents. D'autant que les enfants pratiquent tous le *gaming* sur leurs téléphones intelligents. D'où l'idée que le *gambling* du passé est maintenant un jeu d'enfant. Derrière cette décontamination des mots se cache une volonté des entreprises de jeux d'attirer aussi les futurs *gamblers* de demain, c'est-à-dire ces nouvelles générations d'aujourd'hui, des enfants dont les spécialistes affirment qu'à l'âge de 12 ans, 10 à 12 % d'entre eux sont pathologiquement dépendants de ces hochets sophistiqués mais loin d'être inoffensifs.

Les jeux d'argent ne sont pas tous jugés selon les mêmes règles. Il y a une hiérarchisation sociale qui s'impose selon les catégories de jeu qui s'offrent aux adeptes. Les jeux ne sont donc pas tous sur un pied d'égalité, n'ont pas la même connotation, ni morale ni sociale. Les jeux de cartes ont la cote car, dans la perception populaire, ils sont associés aux gens plus argentés. Le poker, par exemple, est synonyme de jeunesse, d'intelligence, de contrôle de l'autre, d'intuition, et bien sûr de glamour. En circulant dans les casinos à travers le monde, on comprend que ses fans sont très majoritairement des jeunes hommes, car la charge d'adrénaline qu'exigent ses règles, à savoir de longues heures de jeu sans répit, demande une condition physique et une endurance de sportif.

La roulette, aujourd'hui détrônée, et les jeux de dés sont plus festifs. Ce sont les tables où l'on entendra des joueurs s'exclamer, partager leur joie, rire. Autour des tables de cartes règne plutôt une tension permanente plus ou moins soutenue, selon les mises. Les joueurs doivent contenir leurs émotions. Ne pas laisser voir aux autres qu'ils perdent ou gagnent.

Les machines à sous, quant à elles, sont considérées comme le bas de gamme des jeux de hasard. Les joueurs tentent moins de cacher leurs émotions devant la machine. Il est donc plus facile ici de départager les accros compulsifs des joueurs en contrôle d'eux-mêmes. On détecte sans difficulté les pauvres gens qui viennent y perdre leur chemise. Ainsi, les machines à sous sont, dans la perception populaire, le jeu des pauvres et des petites gens. Le jugement sur ces joueurs est plus dur, plus tranchant et pour tout dire plus méprisant. Comme si seuls les joueurs appartenant aux classes aisées avaient une légitimité à pratiquer une activité que l'on associe à une faiblesse de caractère ou un dérèglement de la personnalité. Bien que le risque de basculer dans une dépendance aux effets dévastateurs soit toujours présent, le jugement social sur le jeu en général tend à ostraciser davantage les pauvres que les riches. N'est-ce pas un raisonnement semblable à celui qu'on porte sur les assistés sociaux qui s'achètent des télés dernier cri et qui prennent des taxis plutôt que les transports en commun? Or, on peut d'ores et déjà s'interroger sur l'attirance et la crainte face à une activité millénaire, qui, symboliquement, demeure une tentative de l'être humain de contrer le destin en déjouant le hasard.

Les machines à sous ont été créées à la fin du XIXe siècle et se sont développées au fur et à mesure de l'avancement de la technologie. Les historiens des jeux de hasard prétendent qu'à l'origine, elles servaient de distraction aux épouses des joueurs, qui vidaient ainsi leurs poches de leur petite monnaie. Le jeu de table était trop sérieux et exigeait des capacités intellectuelles dont les femmes ne pouvaient se réclamer. Bref, les machines à sous ne demandaient aucun don particulier pour être manipulées et occupaient les femmes à moindre coût pendant que messieurs leurs maris mettaient leur fortune en péril en vivant des montagnes d'émotions, comme l'a si génialement décrit Dostoïevski dans son roman *Le joueur.*

Une majorité de femmes sont adeptes des machines à sous, confirmant le stéréotype d'il y a plus de 100 ans. Mais en fréquentant les casinos, j'ai constaté ces dernières années que de nombreux hommes âgés sont attirés par les machines. Ces derniers sont en majorité des retraités, et l'on est tenté d'en conclure que lorsque les hommes se retirent de la vie active, perdant du même coup leur statut social et leur pouvoir, ils se retrouvent à partager les mêmes activités que leur femme. Les jeux de bonnes femmes sont alors plus à leur portée que les marathons virils des champions de poker, dont les taux d'adrénaline et de testostérone sont à la hauteur des jackpots qu'ils décrochent.

Chapitre 3

LES CASINOS: TEMPLES DU JEU

On peut jouer en ligne, seul dans l'intimité de son domicile ou dans des salles sombres, quasi clandestines, au fond des bars, devant des machines de vidéopoker, mais les casinos demeurent le lieu par excellence, le plus attirant et le plus émoustillant pour les amateurs de jeu. Le plus repoussant également pour ceux, très nombreux, qui exècrent cet enfer où les adultes perdent leur argent et leur âme à vouloir affronter le hasard.

Depuis une quinzaine d'années, j'ai visité des casinos à travers la planète au gré de mes nombreux voyages. Dans tous les pays où j'ai circulé, j'ai été étonnée de constater que malgré les différences culturelles, les joueurs se ressemblent; ils se comportent selon les mêmes codes et ont les mêmes tics. La différence majeure réside dans la présence des femmes, plus ou moins forte selon le statut qu'elles occupent dans chaque société. Partout, les personnes âgées y sont majoritaires pendant la journée, alors qu'en soirée se rassemble la faune des amateurs de casino, dont une proportion de jeunes, en Asie en particulier, qui ne cessera sans doute pas d'augmenter.

La première chose qui frappe, quand on entre dans un casino, c'est bien sûr le cliquetis qui rappelle les pièces de monnaie qui s'entrechoquent, les lumières multicolores qui agressent le regard et l'absence des points de repère familiers. C'est d'ailleurs une des raisons pour laquelle on choisit d'y aller. Le temps y est suspendu, la lumière est artificielle, les bruits, un élément très important, sont composés de cloches qui tintent, de sirènes qui s'affolent, de sons aigus, stridents et métalliques. Tout cela est pensé et conçu pour entretenir une fébrilité indissociable du jeu.

L'architecture d'un casino est aussi conçue pour que le joueur ait le sentiment d'être dans un labyrinthe. On perd très facilement ses repères visuels, même si on a le sens de l'orientation, ce qui est mon cas. Certaines grandes surfaces comme IKEA, le roi de l'ameublement moderne, se sont inspirées des casinos en créant un espace d'où l'on n'arrive plus à sortir si d'aventure on souhaite le faire rapidement.

La disposition des machines à sous semble échapper à la linéarité. En fréquentant le même casino régulièrement, on peut noter le redéploiement régulier d'une partie des machines dans d'autres endroits de l'établissement, ou tout simplement leur retrait du plancher. Car les joueurs de machines à sous, contrairement aux adeptes des jeux de table, sont constamment à la recherche de nouvelles machines, attirantes à leurs yeux, qu'ils croient toujours, avant de perdre des sommes conséquentes, plus susceptibles de les faire gagner. Pour les joueurs comme pour les accros aux crèmes de beauté miracles, l'absence de résultat ne conduit pas à abandonner le rêve mais à le perpétuer. On délaisse une machine ou une crème pour en tester de nouvelles.

Dans tout casino, on distingue les habitués des joueurs occasionnels. C'est parmi les habitués que se trouvent évidemment les joueurs compulsifs. Parmi eux, les hommes apparaissent plus discrets dans leur façon de jouer, plus concentrés également et peu enclins à échanger une parole ou un sourire avec les joueurs qui les entourent. L'atmosphère varie d'un casino à l'autre – j'y reviendrai dans un chapitre ultérieur –, mais pour tous les habitués, c'est un endroit d'excitation, d'émotions contradictoires qui se télescopent, de tristesse et d'espoir. Le plaisir au cœur du jeu est aussi intense que fugace, mais rares sont les joueurs qui consentent à le partager.

À Las Vegas, il est de notoriété publique que dans les plus célèbres des casinos du Strip, on maintient la fébrilité et l'énergie des joueurs en propulsant de l'oxygène pur dans l'air à intervalles réguliers, de façon à atténuer la fatigue qui inévitablement ralentit le rythme du jeu et, par conséquent, allège les profits.

L'architecture et l'aménagement des casinos ne se conçoivent pas sans des conseillers en tous genres, psychologues inclus, grassement payés, qui s'assurent que les joueurs demeurent le plus longtemps possible devant les machines. En ce sens, dans les grands casinos, rien n'est laissé au hasard : l'emplacement des toilettes, jamais éloignées des machines, les restaurants de cuisine rapide au centre de l'action ou en périphérie des machines et les boissons, gratuites – eau, jus, café – dans plusieurs casinos, qui sont soit proposées par le personnel, soit disposées sur des comptoirs à portée des joueurs. Tout contribue à garder les clients au plus près des jeux. Sans oublier le fond sonore et les lumières aveuglantes et attirantes des machines de plus en plus performantes, grâce à l'avancement de la technologie. Difficile donc pour un joueur de quitter cette explosion visuelle et sonore pour retrouver la vie, donc la réalité, au quotidien. D'ailleurs, en sortant d'une longue session dans un casino, on ressent le besoin de passer à travers une période de transition, semblable au fameux sas de décompression des astronautes qui reviennent sur Terre. Il n'est pas rare de voir des joueurs à la recherche de leur voiture, dont ils ont oublié l'emplacement dans le stationnement. Il y a un affaissement de la concentration, une perte de fébrilité qui s'apparente à un vide momentané qui n'a rien d'agréable, et ce, même si on a gagné.

Je connais beaucoup de gens qui refusent d'entrer dans les casinos, à leurs yeux les vestibules du vice. En fait, ils éprouvent de la peur, voire de la haine, pour ce lieu qu'ils maudissent. Ces mêmes gens engloutissent des sommes faramineuses dans des vêtements, des sacs à main, de dispendieux appareils électroniques inutiles ou des chaussures, qu'ils accumulent jusqu'au moment où ils ne peuvent plus les entreposer. En fait, les casinos représentent les lieux physiques où les êtres humains consentent à afficher à la fois leur désir de gagner et leur insouciance s'ils perdent, avec le risque de déchoir.

Mais les casinos sont également des endroits où les joueurs, plus ou moins consciemment, partagent physiquement cette folie de croire que leur vie se transformera par un miracle, par le destin, le karma ou la fatalité, grâce au gros lot, ce mythique jackpot dont rêvent 80 % des Occidentaux qui achètent un billet de loterie ou jouent à des jeux de hasard en ligne ou dans des casinos. Contrairement aux gens qui jouent uniquement pour le plaisir, contre eux-mêmes sur leur tablette (ou tout autre gadget électronique), ceux qui jouent aux jeux d'argent tentent de faire sauter les machines ou la banque. Ils appartiennent à une confrérie mal cotée socialement, mal jugée moralement, qui flirte avec la frontière de l'illégitimité et de la délinquance sociale auxquelles on associe encore la pratique des jeux de hasard et, avant tout, la fréquentation des casinos.

Les casinos sont en ce sens des temples du «vice». Un vice légalisé dans plusieurs pays, toléré dans d'autres et interdit ailleurs, ce qui entraîne inévitablement sa pratique dans la clandestinité.

Ma fréquentation des casinos dans les dernières années m'oblige à d'autres constatations. Les casinos servent de nos jours à rassembler les gens à la recherche de distractions, de contacts sociaux et d'amusements. La majorité des joueurs d'aujourd'hui fréquentent d'abord les casinos pour oublier leurs soucis, briser la solitude, avoir le sentiment grisant d'être libres, échapper aux contraintes de leur vie routinière et, pour les plus âgés, apaiser leur angoisse de la mort. Ce qui est l'essence même du jeu, puisque l'on joue à perdre et à gagner, c'est-à-dire à mourir et à renaître. L'industrie du jeu n'ignore pas ces réalités, dans un monde où l'espérance de vie s'allonge et où les nouvelles générations ne vibrent que dans l'instantanéité, sur le mode de secousses telluriques, d'informations qui se télescopent et disparaissent par des clics dans la poubelle de l'ordinateur, symbole le plus éloquent de la superficialité.

Bien que les casinos ne soient pas à l'abri des crises économiques actuelles, il est inconséquent de croire que cette industrie va s'affaiblir. Au contraire, la pratique du jeu, avec les risques d'addiction qu'elle comporte, n'est pas en décroissance. La jeunesse et la vieillesse y trouveront leur compte et les casinos de l'avenir seront sans doute un des lieux les plus susceptibles de les réunir.

Chapitre 4

LES PLAISIRS DU JEU

Tous les jeux sont source de plaisir, ne serait-ce que pour l'évasion qu'ils procurent et l'excitation qu'ils génèrent à l'idée de gagner. Et les joueurs compulsifs ne se retrouvent pas seulement parmi ceux qui sont attirés par l'appât du gain. Les personnes qui passent quatre ou cinq heures par jour plusieurs fois la semaine à jouer au scrabble, au bridge ou aux échecs acquièrent une connaissance des mots et mettent leur intelligence stratégique à profit, mais le jeu est aussi au centre de leur vie. Au détriment parfois de tout le reste.

Ceux qui jouent pour de l'argent n'ont pas tous les mêmes désirs. Les acheteurs réguliers de billets de loto rêvent de se transformer en millionnaires instantanés et ne fréquentent pas nécessairement les casinos. Ce rêve leur tient souvent lieu d'espoir pour transformer une vie par ailleurs décevante, monotone ou éprouvante. Dans ce cas de figure, le plaisir de jouer se limite au temps d'attente du tirage du billet. C'est un plaisir plus étendu dans le temps, moins physique pourrait-on dire, que celui qu'éprouvent les joueurs qui se retrouvent dans les casinos et qui communient à l'atmosphère ambiante faite d'excitation, de surprises, et forcément de déceptions.

Les jeux d'argent provoquent une griserie différente de celle qu'apportent d'autres activités, sportives ou culturelles. Les amateurs de casinos ont souvent le sentiment plus ou moins inconscient d'exprimer un côté délinquant de leur personnalité. Car bien que les jeux d'argent soient légalisés, un parfum d'interdit et de transgression les entoure.

Freud n'a-t-il pas affirmé que la relation à la sexualité et à l'argent est avant tout révélatrice de la personnalité humaine? Face au sexe et à l'argent, l'homme est dépouillé de ses apparences, de ses feintes, de sa raison, voire de sa volonté. L'argent est également un aphrodisiaque qui départage les gens, impose ses lois, donc son pouvoir. L'idolâtrie du veau d'or n'est pas qu'une référence biblique; elle est au cœur de la nature humaine.

Il serait faux de croire que le plaisir de jouer est proportionnel au montant d'argent qui est misé. Les moins fortunés partagent les mêmes émotions que les riches flambeurs. Les classes sociales s'estompent et, d'une certaine manière, les joueurs sont tous égaux devant le hasard. J'ai souvent observé des joueurs, aux machines à sous, en extase devant un jackpot de 75 dollars obtenu avec une mise de 30 cents, alors qu'un joueur misant 15 dollars marquait sa déception devant un gros lot de 600 dollars, dont il espérait sans doute tirer deux, trois ou quatre fois plus.

Au cours des dernières années, j'ai expérimenté plusieurs façons de jouer – exclusivement aux machines à sous, je le précise. J'ai varié les mises entre 30 cents et cinq dollars pour me rendre compte qu'il y avait pour moi un montant au-delà duquel le plaisir se heurtait à l'anxiété de perdre. J'atteignais effectivement une limite au-delà de laquelle la dopamine, cette drogue naturelle qui nous plonge dans un état quasi extatique, faisait place à un sentiment inconfortable qui transforme le plaisir en un stress et une irritabilité des plus désagréables. Pour que le jeu demeure un plaisir, il faut un effort pour rester lucide devant les machines créées essentiellement pour favoriser l'addiction et faire oublier qu'on y dépense de l'argent. Dans ce contexte, tout joueur est pris au piège et les risques de dérapage augmentent sensiblement.

Dans un casino, on éprouve aussi un sentiment de liberté. Celle-ci n'est pas illusoire tant que les joueurs sont en contrôle d'eux-mêmes, ce qui demeure, les statistiques l'affirment, le cas de la majorité. Dans notre monde de contraintes caractérisé par la frénésie de l'époque, le casino est un lieu où l'on échappe au temps. Il est frappant de constater que peu de joueurs, par exemple, utilisent leur téléphone, contrairement à ce que l'on peut voir dans la rue, où les accros du cellulaire, leur téléphone vissé à la main, sont légion. J'ai été aussi étonnée par le nombre de joueurs qui me demandent l'heure, car ils n'ont pas de montre, de toute évidence. Le casino représente donc un lieu de décrochage de sa propre vie, pour le meilleur ou le pire, ajouteront certains. Et c'est bien là le paradoxe de se retrouver dans un endroit où l'on jouit d'une sorte de répit, de temps pour soi, tout en étant entouré de sonorités diverses, irritantes, agressantes pour le commun des mortels qui n'y a jamais mis les pieds, mais excitantes et essentielles pour les joueurs.

Le plaisir de jouer dans un casino n'est pas non plus étranger au sentiment de sécurité qui y règne. Peu d'endroits sont aussi encadrés, contrôlés et policés que les casinos. En fait, on n'y tolère aucune expression d'agressivité ouverte et perturbante. J'ai assisté un jour à une scène intolérable dans un casino en Floride. Une femme d'une quarantaine d'années ne cessait de frapper la machine, dont elle espérait quelque gain, tout en lui ordonnant à haute voix de lui rendre son dû. Elle l'injuriait en s'adressant à elle : «Tu m'en donnes, ma salope», s'exclamait-elle. Au fur et à mesure qu'elle réactivait le jeu, elle élevait la voix en criant : «Espèce de conne, tu me fais ch...» Puis elle s'est mise à frapper de sa main la vitre de la machine. Avec retenue d'abord, puis de plus en plus fort, inspirée par la colère qui l'envahissait. Soudain, prise de rage, elle a frappé d'un coup puissant à main ouverte la vitre, qui a éclaté avec fracas. Autour d'elle, les joueurs étaient sidérés. Le sang giclait, l'éclaboussant jusque sur sa figure. En quelques secondes, deux agents de sécurité sont arrivés, suivis de quelques autres, et la femme visiblement en état de choc s'est laissé emmener sans opposer de résistance et sans prononcer un seul mot vers un lieu discret. Le casino voulait cacher à tout prix ce spectacle d'une joueuse ensanglantée aux autres clients, qui d'ailleurs sont rapidement retournés à leur jeu, comme si de rien n'était. Contrairement à ce qui se passe lorsqu'un incident du genre se déroule en public dans la rue, personne ne semblait intéressé à commenter cette scène pourtant éprouvante pour tous les spectateurs. Le jeu et son plaisir avaient instantanément repris leurs droits.

Le jeu est aussi un exutoire qui permet d'engourdir les peines, d'anesthésier momentanément les angoisses, de mettre à l'écart les soucis. Il a ainsi valeur thérapeutique. Ça n'est pas un gage de bonheur, on en est loin, mais il atténue à sa façon les aspérités de la vie quotidienne. Les joueurs l'admettent volontiers lorsqu'on les interroge. «Ça me change les idées», diront certains. «Personne ne peut me déranger, je suis au casino», affirment d'autres. Un grand nombre aiment l'idée de se retrouver avec ceux qui partagent le même «passe-temps», préciseront-ils en usant de l'euphémisme.

Tout le monde va au casino dans l'espoir de gagner et, il faut l'ajouter, d'être témoin du gain des autres, preuve que la mise en vaut la peine. Cependant, les réactions devant une personne qui remporte un gros lot substantiel varient selon les tempéraments, et surtout selon la culture. J'en veux pour preuve deux expériences de gagnante que j'ai vécues personnellement, l'une en Floride, l'autre en France.

Dans le premier cas, j'ai remporté, un soir entre Noël et le jour de l'An, un gros lot de 5550 dollars après avoir misé trois ou quatre fois deux dollars dans une machine désuète, une des rares encore disponibles du temps d'avant la technologie récente. J'étais encadrée de deux joueuses, l'une noire, l'autre blanche. Dès que le gros lot s'est inscrit sur l'écran dans une explosion de flashs et de monnaie qui s'entrechoque dans un bruit soûlant, ma voisine de droite m'a spontanément félicitée. «Bravo, je suis heureuse pour vous», m'a-t-elle dit en riant très fort, et ma voisine de gauche a renchéri: «Quelle chance vous avez. C'est encourageant pour tout le monde», a-t-elle précisé.

Un an plus tard, lors d'un Salon du livre à Nice, je me suis retrouvée un soir avec un joyeux groupe d'écrivains au casino pour aller «faire sauter la banque», comme me l'a assuré un romancier célèbre à l'imagination débordante. Hélas! Dans ce casino peu attirant, sorti tout droit des années 1960, les machines se faisaient rares et ce jour-là, aucune n'était disponible. La chance était de mon côté puisqu'une dame, à l'évidence perdante, s'est retirée tout en soupirant à haute voix, poussant des «ah, ah, ah» et des «oh, oh, oh» qui trahissaient une grande frustration. Je me suis glissée, tel un éclair, sur son siège tout chaud que nous étions quelques-uns à convoiter. Je n'ai eu qu'à jouer deux coups pour déclencher le gros lot, qui s'élevait à 1800 euros, et dont le chiffre magique s'est inscrit sur l'écran figé. C'est alors que ma voisine de droite (encore une femme) s'est exclamée, courroucée, à la cantonade : «Eh bien! Ça n'est pas à nous que ça arriverait.» Puis, toujours agressive, s'adressant à moi : «Félicitations ma petite dame. Profitez-en bien.» J'aurais parié qu'elle se retenait pour ne pas me gifler. Alertée par ces remarques lancées avec force, la chipie qui m'avait cédé sa place est revenue vers moi : «Vous avez de la chance, a-t-elle crié avec des éclairs de colère dans les yeux. J'ai mis 700 euros dans cette machine. C'est grâce à moi qu'elle vous a payée.» Un peu plus et elle exigeait d'être remboursée!

Ces deux événements sont significatifs. La réaction des joueurs ne met-elle pas en lumière une différence culturelle entre deux sociétés? Aux États-Unis, on se réjouit de voir une personne gagner, car c'est le pays où chaque Américain croit que si la chance arrive aux autres, il peut en avoir aussi. En d'autres termes, tout le monde, symboliquement, peut devenir président des États-Unis ou riche comme Steve Jobs. Alors qu'en France, si quelqu'un gagne, c'est forcément aux dépens de ceux qui perdent. Et c'est intolérable! Si je perds, se dit le Français, tout le monde doit perdre. Cette théorie est fortement inscrite dans l'esprit des Français, et d'une certaine manière dans l'esprit des Québécois, dont les ancêtres sont français.

Le jeu est un plaisir et l'expérience des casinos un terrain fertile pour analyser la société. En règle générale, les joueurs y viennent pour quelques heures pendant lesquelles ils ont le sentiment de s'appartenir, de vivre entre parenthèses, de n'avoir que la conscience du moment, de ne dépendre de personne et d'éprouver des émotions qui les enveloppent dans une bulle, dont ils devinent confusément qu'elles sont un leurre. Car le plaisir de jouer est à ce prix.

Chapitre 5

LES FEMMES ET LE JEU

L'affirmation en surprendra plusieurs, mais les casinos sont parmi les rares endroits où les femmes seules se sentent en sécurité. Elles sont à l'abri du harcèlement, ne risquent guère de se faire apostropher de façon discourtoise ou grossière et les plus âgées – on y croise souvent des octogénaires – laissent les peurs inhérentes à leur grand âge derrière elles, oubliant leurs petits et gros malaises sous l'effet de l'adrénaline indissociable du jeu.

Les femmes sont nombreuses à fréquenter les casinos, mais elles sont rares aux tables, «des jeux pour les hommes», comme me l'a affirmé un jour une vieille dame à l'allure branchée, adepte joyeusement consentante des «petits jeux» des machines à sous, confirmant ainsi le stéréotype selon lequel les machines à sous sont à la portée des femmes parce qu'elles n'exigent aucune – ou presque – autre habileté que celle d'être capables d'actionner le bouton «*play*».

Les femmes sont aussi plus démonstratives lorsqu'elles jouent. Certaines ont un rapport quasi fusionnel avec la machine, et plusieurs admettent leur préférence pour les jeux les plus inoffensifs, où figurent des animaux en tous genres – loups, tigres, chevaux, dauphins, chiens et chats –, des sorcières, des amoureux, des gentils vampires ou des chaperons rouges déclenchant des bonis aléatoires. Il n'est pas rare de voir des femmes avec des grigris et des porte-bonheur de toutes sortes enroulés autour du cou ou au poignet, ce que l'on trouve rarement chez les hommes.

J'ai rencontré des centaines de femmes dans les nombreux casinos où je suis allée. Rares sont celles qui ont refusé de partager avec moi leur expérience du jeu. En jouant à leurs côtés, il faut admettre que je rendais ma tâche plus facile. J'étais des leurs et elles ne tardaient pas à me faire des confidences sur leur rapport au jeu.

Dans l'ensemble, les femmes ont le sentiment de s'affranchir en fréquentant les casinos. Elles revendiquent cette activité comme un droit qui leur appartient. «Je ne demande la permission à personne pour venir au casino», m'a dit une dame qui se définissait comme une féministe «sur le tard». «J'ai consacré ma vie à mon mari et mes enfants. Aujourd'hui je suis veuve, mes enfants sont occupés avec leur propre famille et je viens ici, où je me suis fait des amies.» «Venez-vous souvent?» lui ai-je demandé. «Deux, trois fois par mois», a-t-elle admis. Or, cette dame, à sa façon très personnelle de jouer, donnait plutôt à penser qu'elle fréquentait le casino plus régulièrement qu'elle ne l'avouait. Ce qui est d'ailleurs le cas de la plupart de ceux qui s'adonnent au jeu.

Un soir, j'ai croisé, au Casino de Montréal, une femme d'une trentaine d'années dont le comportement devant la machine a immédiatement attiré mon attention. Elle enchaînait les mises avec un détachement surprenant, d'autant qu'à quelques reprises elle a retiré des gains relativement importants, de plusieurs centaines de dollars. Avant de m'approcher d'elle, je l'ai observée quelques minutes. Son attitude était troublante. Elle jouait en donnant l'impression de vouloir en finir rapidement. Une machine s'est libérée à côté d'elle et je m'y suis installée. Il faut préciser que lorsque je cherchais à soutirer des informations des joueurs, je m'abstenais de jouer réellement, réduisant ma mise au minimum, parfois cinq sous ou même un sou. La jeune femme continuait de gager comme une automate à coups de deux dollars, un montant qui gruge rapidement la mise de fonds. Soudain, elle m'a découverte. «C'est bien vous?» m'a-t-elle demandé. La glace était brisée et en moins de dix minutes, elle m'a déroulé sa vie et dévoilé les malheurs qui s'abattaient sur elle.

Elle ne fréquentait le casino que depuis deux mois, après avoir été larguée par un mari qui, à son insu, la trompait systématiquement. Une histoire banale, triste mais dramatique pour la personne qui la vit. Elle avait découvert qu'en jouant ainsi de façon compulsive, sa douleur s'atténuait. «J'ai peur des calmants et boire me rend malade, m'a-t-elle dit pour expliquer son attrait pour le jeu. Dans les casinos, j'oublie. En fait, je joue une partie de la nuit parce que j'ai perdu le sommeil et j'angoisse tellement que j'ai peur de moi. Ici, je me sens entourée, mais je sais que je n'ai pas les moyens financiers de perdre de la sorte. J'espère que j'arriverai bientôt à me calmer. Je veux arrêter mais je n'en ai ni la force ni la volonté.»

Il était clair que cette femme jouait sa vie dans l'attente, non du jackpot, car aucun plaisir ne la motivait, mais d'un retour en arrière à la recherche de son mari envolé. Quiconque joue dans cet état d'esprit y perd à la fois son âme et sa fortune, car le casino n'est d'aucun secours aux femmes éclopées de l'amour.

J'ai aussi croisé de nombreuses femmes qui fréquentent le casino à l'insu de leur conjoint. Elles l'avouent souvent avec un sourire aux lèvres et, à l'évidence, cela ajoute au plaisir qu'elles retirent du jeu. « Si mon mari savait que je viens au casino sans lui, il ferait une crise cardiaque », m'a assuré une pétillante et prospère quinquagénaire, qui misait à coups de trois et cinq dollars sur une machine que les loups (qui représentaient les gains) avaient désertée durant la longue période de temps où je suis restée à côté d'elle. L'argent lui glissait entre les doigts, mais elle affichait une bonne humeur déconcertante. « Mon mari m'adore mais je m'ennuie avec lui. Je le trouve trop gentil et tranquille. Il me comble de cadeaux, au point où je ne peux même plus jouer l'effet de surprise. Une fois par mois, on va au casino ensemble. » Cette trop jeune et trop active retraitée jouait comme d'autres femmes magasinent, à la recherche de la robe époustouflante qu'elles auront rarement l'occasion de porter, de la énième paire de chaussures Jimmy Choo, du cinquantième pantalon. Seuls les gros lots de milliers de dollars l'intéressaient, si bien que lorsque la machine lui a renvoyé devant moi un gain de quelque 900 dollars, elle a continué de me causer et de miser. « Vous devriez changer de machine », lui ai-je dit en souriant malgré mon étonnement. Évidemment, son plaisir de gagner le gros lot était inexistant, car cette femme se moquait de l'argent, qu'elle dilapidait joyeusement, ce qui m'apparaissait une attitude à la fois délinquante et significative. Les jackpots de milliers de dollars qu'elle espérait étaient plus fantasmés que réels. En la quittant, je lui ai souhaité bonne chance mais de façon peu convaincante. Elle a éclaté de rire. « Tout ça est aléatoire, a-t-elle dit. D'où le *kick*. » Cette joueuse est à n'en point douter la plus insouciante et la plus décontractée que j'aurai croisée dans les casinos.

J'ai rencontré à Las Vegas une jeune femme de 35 ans qui a suscité ma curiosité car elle buvait une coupe de champagne – du mousseux à vrai dire, qu'on a tendance à baptiser «champagne» aux États-Unis, où l'appellation contrôlée n'énerve personne. Je me suis installée à ses côtés et elle m'a spontanément adressé la parole, ce qui est peu fréquent dans les casinos de Vegas. Elle m'a même offert de partager avec elle une coupe de «champagne», gracieuseté du casino, précisons-le. «C'est mon anniversaire. Je viens ici pour me fêter.» En dix minutes, je connaissais sa vie. Elle vivait seule à Las Vegas, où elle travaillait comme commis à l'aéroport. Elle jouait exclusivement aux machines et misait peu, car son objectif était de rencontrer un homme. «Vous pourriez aller dans les bars. N'est-ce pas plus facile?» lui ai-je demandé. «Non, car je ne veux pas d'aventure d'un soir (*one night stand*) et je déteste les alcooliques.» Elle m'a affirmé qu'elle préférait les joueurs car son expérience du jeu lui permettait de départager les joueurs compulsifs des joueurs occasionnels comme elle. Elle avait rencontré un Hongrois de Los Angeles de cette façon, mais leur agréable aventure amoureuse s'était compliquée, car il avait dû déménager à Chicago. Elle admettait que les casinos n'étaient pas le lieu idéal pour flirter. «Les joueurs ont plus d'adrénaline que de testostérone quand ils jouent, m'a-t-elle dit en éclatant de rire. Mais les hommes qui se laissent flirter sont sobres et tant qu'ils sont dans les casinos, on peut leur faire confiance.» Ainsi, elle avait le temps de les évaluer davantage que dans les bars. Elle avait aussi une théorie sur les messieurs de passage à Las Vegas. «Ils sont plus généreux.

Souvent, j'ai joué à l'œil grâce à eux. » Le casino lui servait donc de lieu de drague et d'occasions de jouer gratuitement grâce à la générosité de gentlemen. Cette jubilaire esseulée, qui m'était apparue triste au premier abord, m'avait bien confondue. Le plaisir du jeu pour les femmes est donc plus varié qu'il ne le semble parfois.

Face au jeu, l'égalité des sexes se vérifie, bien que les femmes soient majoritairement des joueuses de machines à sous. Boudent-elles les jeux de table, la plupart basés sur le bluff et la stratégie, qui commandent des investissements plus élevés et plus risqués, parce qu'elles répondent aux stéréotypes sexistes? Est-ce le rapport de force à la table de poker ou les risques plus importants à la roulette ou au blackjack qui les éloignent de ces jeux « virils » ? Est-ce tout simplement leur plus grande réticence à flamber de l'argent ou parce qu'elles sont en général moins riches que les hommes ?

Mon expérience m'a appris que parmi les jeunes qui fréquentent les casinos, la grande majorité des joueurs de machines à sous sont des garçons qu'accompagnent des filles. Ces dernières se font aussi rares aux tables de jeu. Cependant, ce serait une hérésie de croire que l'égalité des sexes devrait s'appliquer à la pratique du jeu, et ce, dès que les jeunes peuvent légalement entrer au casino. Le féminisme ne peut être revendiqué pour ces activités où le plaisir peut basculer en misère. Mais il est indéniable que les femmes, héritières des acquis du féminisme, ne s'interdisent plus ces lieux où traditionnellement elles n'étaient que des spectatrices qui accompagnaient les joueurs. De nos jours, elles jouent et plusieurs femmes le vivent comme un affranchissement personnel et collectif.

Chapitre 6

LES HOMMES ET LES CASINOS

Contrairement aux femmes, les hommes fréquentent les casinos comme tous les lieux où, traditionnellement, ils se sentaient les maîtres. Autant dire que les casinos sont des temples de la virilité. L'argent, le jeu, son parfum d'interdit, une atmosphère dominée par une adrénaline à couper au couteau et, dans plusieurs casinos – aux Etats-Unis, par exemple –, de l'alcool gratuit. Tout concourt à satisfaire le mâle.

Alors que de nombreuses femmes ont l'air un peu perdues et semblent même hésitantes devant le fonctionnement des machines à sous, les hommes semblent plus en contrôle. On voit, bien sûr, des femmes sûres d'elles, qui ne trahissent aucune émotion, qui sont peu bavardes, voire indifférentes aux autres joueuses, mais ce sont évidemment des joueuses d'habitude, ou du moins très familières du jeu.

Les hommes, qui sont majoritaires aux tables de jeu, donnent à penser qu'ils sont au cœur d'une négociation importante. Ce n'est que sur les affiches publicitaires des casinos qu'on les voit souriants et qu'ils ont l'air de s'amuser. En fait, les hommes qui jouent sont sérieux. Même devant les machines à sous, qui n'exigent aucune qualité ou habileté, leurs gestes laissent penser qu'ils sont maîtres du jeu.

Il m'est arrivé de me retrouver aux côtés de certains fiers-à-bras dont les biceps ne leur étaient d'aucune utilité et qui avaient peine à se retenir de ne pas défoncer la machine. Au Lake City Casino, à Kelowna, dans l'Ouest canadien, j'ai même été agressée par un joueur visiblement ivre ou intoxiqué. J'avais par distraction introduit un ticket dans une machine sans avoir remarqué qu'elle contenait déjà sept dollars. Or, le joueur avait provisoirement délaissé la machine pour commander de l'alcool au bar, à environ dix mètres de là. Au moment même où, prenant place sur le siège, j'introduisais mon ticket, ce fou furieux s'est précipité vers moi pour me sauter à la gorge. J'ai réussi à l'esquiver, pendant qu'un agent de sécurité bien baraqué appelait à l'aide avec son talkie-walkie plutôt que de venir vers moi. J'ai continué d'éviter les coups de l'énergumène avant que trois agents de sécurité ne s'interposent enfin entre nous. Pendant que je tentais d'expliquer ma méprise, l'excité cherchait, lui, à retenir le ticket, qu'il affirmait lui appartenir.

Il a fallu près d'une demi-heure pour calmer le délirant personnage, toujours prêt à sauter sur moi, et pour lui expliquer que le problème serait facile à régler si on ouvrait l'appareil. Hélas, le garde qui était manifestement le responsable mettait en doute ma parole. Il a dû se rendre au poste de commandement afin de visionner la vidéo pour être enfin convaincu de ma bonne foi. À son retour, il a consenti à ouvrir la machine, découvrant ainsi ma mise, inscrite noir sur blanc, dans la mémoire de l'ordinateur.

L'homme qui m'avait agressée et insultée était un habitué du casino. À aucun moment la sécurité n'a songé à l'expulser. J'ai quitté les lieux dès l'encaissement de ma mise, soulagée que mon mari qui, inquiet de mon retard, m'avait rejointe dans le casino, n'ait pas réussi à régler à sa façon politiquement incorrecte le sort de l'individu. En Colombie-Britannique, en ai-je conclu, on prend fait et cause pour l'homme ivre et agité plutôt que pour la femme sobre mais incapable de se rendre compte de l'indisponibilité d'une machine. Cependant, dans ce casino de la vallée de l'Okanagan, la sécurité déficiente est une exception à la règle. Les casinos sont en général sécuritaires partout ailleurs.

Les machines à sous ont la cote chez les hommes plus âgés, souvent retraités, qui, à l'instar de plusieurs joueuses, semblent n'avoir guère fréquenté les casinos avant d'atteindre un âge certain. Si les hommes qui jouent aux tables sont souvent seuls, ceux qui s'adonnent aux machines sont fréquemment accompagnés de leur femme.

Ces joueurs du troisième âge qui ont quitté le marché du travail se sont en quelque sorte «féminisés» en s'adonnant aux machines à sous plutôt qu'aux jeux de cartes ou à la roulette. Un après-midi, j'ai croisé à Montréal une vieille dame charmante qui m'a raconté son parcours de joueuse. «Je fréquente les casinos depuis un an seulement. Pour me changer les idées.» Avec son mari, elle avait l'habitude de passer l'hiver en Floride, mais depuis qu'il avait fait un infarctus, il ne voulait plus voyager. «Regardez, il est derrière nous. Il joue toujours sur la même machine. Elle n'est pas énervante et il ne mise que cinq sous à la fois. Ça lui évite de gagner un gros jackpot qui mettrait son cœur à mal.» Pourquoi l'accompagnait-il? «Pour me contrôler. Il a peur que je joue trop.» Cette histoire illustre bien que les motivations des joueurs sont multiples et parfois imprévisibles. Cet octogénaire, qui avait été élevé dans les valeurs machistes puis qui avait traversé le cyclone du féminisme, passait des heures au casino une ou deux fois par semaine – selon son épouse – à mettre quelques sous dans un appareil dont le jeu pépère consistait à faire dérouler des poissons rouges, verts ou roses sur l'écran, et ce, dans le but de s'assurer que sa femme, dont il fixait lui-même le budget de jeu, n'échappe pas à son emprise. « C'est difficile, parfois, m'a dit la dame. Dès qu'il est fatigué, on doit s'en aller. Ça peut être une heure seulement après notre arrivée. Le problème, c'est qu'il n'aime pas que je vienne sans lui avec mes amies de la résidence où l'on vit depuis qu'on a vendu notre maison. Mais je ne me plains pas, je n'ai pas été malheureuse en ménage. » On peut croire que le mari de cette dame charmante et raisonnable s'assurait que cette dernière ne retire qu'un plaisir mitigé du jeu en déterminant le temps qui y était consacré.

La drague dans un casino est aussi rare que les mégajackpots. Il m'est arrivé à quelques occasions de me faire aborder galamment par un joueur installé à mes côtés, mais ces charmants messieurs n'avaient pas le profil du joueur compulsif que j'ai appris, avec l'expérience, à détecter sans crainte de me tromper. Les joueurs dans les casinos sont dopés à l'adrénaline plutôt qu'à la testostérone, comme me l'a dit si justement la joueuse de Las Vegas qui fêtait son anniversaire. Pour dire les choses crûment, un jackpot substantiel vaut bien une érection momentanée. Chacun est replié en lui-même, faisant corps avec la machine, les dés, la roulette ou les cartes. Les casinos sont des temples pour les hommes attirés par le risque, la compétition, le bluff, l'appât du gain, et qui succombent désormais, comme les femmes d'ailleurs, à l'addiction au design de la machine ellemême. Ce lieu fermé, sorte de labyrinthe, ne peut contenir d'excitations aussi extrêmes qu'opposées. Le plaisir du jeu, la jouissance de gagner comblent le joueur. Par contre, la personne qui souffre d'une addiction ou d'une compulsion au jeu vit inévitablement une régression dans d'autres aspects de sa vie. Les publications des spécialistes de l'addiction sont éloquentes à cet égard.

Les hommes qui fréquentent les casinos ont des comportements semblables, peu importent les sommes qu'ils consacrent au jeu. Il y a une façon masculine de jouer ; c'est d'ailleurs une des choses qui frappent l'observateur attentif. Sauf exception, les jeunes hommes sont souvent plus bruyants et agressifs devant les appareils, les hommes mûrs sont silencieux et fermés et s'abandonnent à leur passion, tels les loups solitaires de certaines machines très populaires qu'on trouve dans tous les casinos de la terre et auxquels ils sont accros, qu'ils soient chinois, américains, portugais, français ou canadiens.

Dans les casinos, les hommes laissent tomber leur côté prédateur sexuel ou séducteur pour s'offrir en proies consentantes, telles des femmes, aux multiples jeux de hasard qui les soumettent à leur seule loi.

Chapitre 7

LES NOUVELLES MACHINES : ADDICTION À LA CLÉ

Les machines à sous de l'époque ancienne, c'est-à-dire d'avant les technologies actuelles, étaient à dimension humaine, si l'on peut qualifier ainsi des inventions pour gober l'argent. Ces machines sont encore appelées des «bandits manchots» en France, bien que le terme anglais *one-armed bandit* soit considéré comme désuet aujourd'hui. «Bandits» car elles se nourrissent de l'argent dont elles ne rendent, sauf exception, que des sommes dérisoires. «Manchots» car ces machines s'activent par un bras mécanique que le joueur abaisse avec plus ou moins de force, d'excitation ou de colère, selon les résultats escomptés.

Ces machines du passé respectaient un rythme qui permettait de laisser passer plusieurs secondes entre les mises. Il fallait déposer des pièces de monnaie, abaisser le bras situé à droite de l'appareil, laisser rouler le barillet et recueillir les sous – en cas de gain. Ces machines à sous ne se retrouvent plus que dans des casinos miteux, au fond de villages perdus éparpillés sur la planète.

Les machines, désormais, ne gobent que les billets de banque et les tickets, que le joueur retire lorsqu'il abandonne l'appareil, sur le modèle de toutes les transactions électroniques dans le commerce aujourd'hui. La disparition des billets de banque au profit de papiers imprimés atténue à n'en point douter l'impression de dépenser, comme la carte de crédit, d'ailleurs. On n'a qu'à faire le test. Payer comptant un achat nous rend plus conscients du prix que de glisser une carte de débit ou de crédit dans un mini-terminal, comme ceux que l'on trouve dans le commerce.

Ces machines à sous semblent très recherchées par les vieux habitués, ce qui ne les empêche pas d'utiliser les redoutables machines dernier cri. Mais ces jeux simplistes d'hier sont désormais programmés dans des machines non plus mécaniques, mais numériques. Si bien que le rythme du jeu est beaucoup plus rapide. C'est en effleurant le tableau des mises, déclinées par exemple à 50, 100, 150, 200 ou 250 crédits dans des machines à un, deux ou cinq sous chaque crédit, que le joueur déclenche instantanément le jeu. D'après mon expérience, rares sont les joueurs qui font une pause entre les mises. Si bien que chaque jeu dure une ou deux secondes. À cette vitesse, le joueur risque de perdre en un éclair des montants très importants.

L'anthropologue Natasha Dow-Schüll, du prestigieux MIT (Massachusetts Institute of Technology), a passé 15 ans à Las Vegas afin d'analyser le phénomène du jeu à l'ère des technologies modernes. Dans son ouvrage magistral au titre sans équivoque, *Addiction by Design**, elle nous plonge dans un monde aussi fascinant qu'inquiétant pour l'avenir. Les appareils complexes

---

* SCHÜLL, Natasha Dow. *Addiction by Design: Machine Gambling in Las Vegas*, Princetown University press, 2012.

que l'on trouve dans les casinos d'aujourd'hui se situent à des années-lumière des petites machines à sous au fonctionnement mécanique. Pour fabriquer ces monstres, des centaines de spécialistes, créateurs de jeu, artistes graphiques, mathématiciens et ingénieurs informaticiens sont à l'œuvre. Même des psychiatres à l'éthique flottante servent de consultants afin d'éclairer de leur science les fabricants, qui cherchent des moyens de rendre ces machines irrésistibles pour les joueurs.

Cette anthropologue s'intéresse évidemment à l'addiction, et sa recherche porte donc sur les joueurs pathologiques et leur enfermement dans ce que nombre de casinos à Montréal ou ailleurs proposent désormais, cette fameuse « zone machine », d'où personne ne sort indemne.

Il faut avoir joué sur ces terribles machines où les bruits, les sons, les couleurs, le graphisme, les lumières plongent le joueur dans un état second où il perd ses repères pour ne plus désirer que cette fusion visuelle et physique avec la machine, pour saisir le degré d'excitation sensorielle auquel il est soumis. J'ai expérimenté personnellement l'effet boomerang que l'on ressent en jouant sur ces monstres. Ils épuisent assez vite les joueurs – et ils sont nombreux – dont la tolérance à ces orgies visuelles et sonores est moyennement élevée. D'autant que les lots que ces machines rapportent sont presque inversement proportionnels à l'intensité de cette mise en hypnose à la limite de la décérébration.

Mais la professeure du MIT démontre de façon irréfutable que ces machines au design outrancier sont fabriquées pour créer l'addiction en plongeant le joueur dans un état où il oublie qu'il joue de l'argent. Son désir de gagner disparaît, en quelque sorte. Il se retrouve accro d'une machine dont il ne souhaite qu'une chose : qu'elle tourne encore et encore.

L'industrie du jeu ne recule devant rien pour encourager le joueur à demeurer le plus longtemps possible devant une machine. Une mise de 1 dollar peut ne rapporter que 20 cents, et ce gain se répétera plusieurs fois selon les lois du hasard, mais avant tout selon la programmation des algorithmes contrôlée par la direction du casino. En ce sens, seuls les joueurs sont soumis à la loi du hasard. Les casinos, eux, en définissent les contours.

Les machines du futur risquent de cannibaliser les joueurs en réduisant la distance entre ces derniers et l'appareil. C'est ce qui se produit avec certaines machines en trois dimensions. Il faut voir les joueurs tenter de saisir au vol des papillons qui sortent de l'écran et effleurent le jeu, chercher à les fixer de la main sur l'écran, où ils se transforment en frimes, donc en gains possibles. Les joueurs font ainsi corps avec la machine, dont ils sont, en quelque sorte, des extensions humaines.

Les joueurs de machines à sous ne sont guère conscients d'être à la merci d'une technologie qui peut s'avérer destructrice pour eux. La majorité des gens qui s'adonnent à ce plaisir aux risques plus ou moins calculés ont cependant des commentaires surprenants : « Je n'aime pas les machines trop compliquées, me disait une dame bon chic bon genre dans un casino de Las Vegas. Certaines font même peur. On a l'impression d'être agressé. C'est trop pour moi. Dans le casino, j'aime contrôler mon stress. Avec les nouvelles machines, c'est impossible. »

Les jeunes générations, qui ont baigné dans les jeux électroniques, n'ont certainement pas ce genre de réserve. Les nouvelles machines consacrées aux morts-vivants, aux vampires et autres monstres qui surgissent sur l'écran avec des hurlements annonçant une explosion de parties gratuites ou de bonis aléatoires ne rebutent point ces joueurs, qui en redemandent. Les machines de demain, qui dégageront des parfums plus ou moins capiteux capables de soûler les plus résistants, sauront envoûter les joueurs blasés à la recherche de toujours plus d'excitations, de surprises et de sensations audiovisuelles violentes.

À n'en point douter, l'industrie du jeu veille au grain. Les ingénieurs informaticiens et les créateurs de jeux habiles à repousser les frontières entre la réalité et la fiction sauront créer des monstres qui exploseront sur l'écran dans le bruit, la lumière et les sirènes, annonçant un jackpot que le joueur s'empressera de remettre dans la machine, dans l'espoir, non pas de gagner davantage, mais d'éprouver un plaisir encore plus soudain, plus excessif, plus extatique que celui du jackpot précédent, et ce, peu importe que le montant gagné soit significatif ou non. La machine sera d'une certaine manière tatouée dans leur cerveau.

Chapitre 8

VISITE GUIDÉE DES CASINOS À TRAVERS LE MONDE

C'est au cours de la tournée mondiale de Céline Dion *Taking Chances,* en 2008-2009, dont j'ai fait partie pendant près de neuf mois pour préparer mon essai, *L'énigmatique Céline Dion,* consacré à la diva québécoise au rayonnement planétaire, que j'ai eu l'occasion de visiter nombre de casinos. C'est sans doute cette expérience unique qui m'a amenée à écrire le présent ouvrage.

Tous les casinos du monde se ressemblent, tout en étant différents. Cette différence s'explique par la culture du pays où ils sont implantés. S'il existe une internationale des joueurs, ces derniers sont avant tout des citoyens tributaires de la culture de leur propre société. La conception du jeu, de l'argent, de l'égalité des sexes et de la religion teinte donc ces lieux.

Pour les musulmans, le jeu est interdit, ce qui ne les empêche pas de s'adonner aux jeux de hasard. Certains pays musulmans tolèrent même des casinos sur leur territoire. En Afrique, on trouve des casinos au Mali, en Côte d'Ivoire, au Sénégal et en Afrique du Sud, entre autres. Ils sont la plupart du temps à l'intérieur des grands hôtels internationaux et avant tout fréquentés par la bourgeoisie, ce qui inclut des musulmans qui ne se sentent pas concernés par les préceptes du Coran à propos de l'alcool et des jeux de hasard.

Les jeux d'argent n'ont jamais eu la cote auprès des autorités religieuses, toutes religions confondues, qui les considèrent comme moralement dommageables et une source de perturbations, pour les joueurs d'abord, et l'institution familiale ensuite. Dans nombre de pays musulmans, les casinos sont totalement interdits. Même à Dubaï, où l'argent s'affiche de façon orgiaque. Cependant, les casinos se sont implantés depuis quelques décennies dans des pays où on les interdisait auparavant, en Europe du Nord et de l'Est, par exemple. Certains États américains interdisent toujours les casinos commerciaux, mais les milliards de dollars de taxes supplémentaires que ceux-ci génèrent ont convaincu nombre d'États, qui acceptent désormais des casinos sur leur territoire. C'est le cas du Massachusetts, de la Pennsylvanie, du Dakota du Sud, de l'Indiana et d'une vingtaine d'autres États.

J'ai joué au casino au Maroc, à Marrakech, plus précisément, cette ville à la réputation sulfureuse. Les casinos se trouvent dans les hôtels-palaces pour attirer les touristes, mais j'y ai croisé des Marocains qui semblaient être des habitués. Ces casinos dégagent une atmosphère teintée d'illégitimité. Sombres, peu attirants, ils offrent un choix de machines très limité. De vieilles machines à sous qu'on ne trouve plus guère dans les casinos modernes, qui gobent plus qu'elles ne recrachent. Ces casinos sont des lieux non pas de plaisir mais de tolérance, où les clients viennent avant tout pour combler leur besoin de jouer. Des casinos d'accros, comme j'en ai vu dans de petits villages en France, notamment, qui respirent la poussière et la promiscuité.

Les Asiatiques vénèrent les jeux de hasard depuis au moins un millier d'années. Macao, à une heure de traversier de Hong Kong, est devenu la mecque (si l'on peut user de ce mot dans les circonstances) des casinos mondiaux. Après avoir joué à Las Vegas, on est en mesure de faire quelques comparaisons.

Le développement actuel du jeu à Macao est un phénomène unique. En mars 2008, j'y ai séjourné pendant la tournée de Céline Dion, qui présentait son spectacle au Venetian, où se trouvait à l'époque l'un des plus grands casinos du monde. J'y suis entrée pour jouer mais suis ressortie immédiatement. Il y avait très peu de machines à sous et autour des tables, qui occupaient presque tout le plancher, l'atmosphère était lugubre. J'ai été choquée, je l'avoue, de constater que la très grande majorité des joueurs étaient des jeunes – phénomène qui n'existe en Occident qu'autour des tables de poker.

De l'ancien Macao, historiquement une enclave portugaise, il ne reste que quelques immeubles et églises, dont la cathédrale de la Sé dans la vieille ville, et la façade impressionnante de l'ancienne cathédrale St-Paul, construite entre 1582 et 1602 par les jésuites, et détruite durant un typhon qui s'est abattu sur l'île en 1835.

Ces symboles de la chrétienté en terre chinoise ne font plus le poids à côté des temples au luxe tape-à-l'œil que sont les pharaoniques casinos, construits depuis une dizaine d'années, dont les hôtels-casinos comme le Wynn, le Mandarin-Oriental, le Flamingo, le MGM et le Venetian, que l'on retrouve aussi à Las Vegas, mais dans des dimensions moins sidérantes. À vrai dire, Macao s'est transformé en terrain de jeu non seulement des Chinois, mais de l'ensemble de l'Asie. Las Vegas et son Strip sont désormais déclassés par l'enclave, aujourd'hui territoire de la République populaire de Chine. La ville est classée parmi les plus riches au monde, puisque les revenus des casinos y sont actuellement sept fois plus importants que ceux de Las Vegas. Ils se chiffraient, en 2014, à 44 milliards de dollars.

En 2013, lorsque je suis retournée au Venetian, j'ai été estomaquée par la profusion de machines à sous et de tables de jeu, désormais animées par des croupiers virtuels. Toutes les machines à sous numériques étaient de la dernière génération. Elles explosaient de lumières stroboscopiques, de flashs éblouissants, d'alarmes perçantes. Les jeux y étaient interactifs. Leurs créateurs n'avaient pas lésiné, introduisant de multiples jeux dans le jeu principal, des bonis aléatoires, bref des activités qui non seulement font que la machine est attrayante et excitante, mais qui, en quelques minutes, rendent le joueur accro.

Durant une heure, j'ai joué sur nombre d'entre elles, attirée par leur nouveauté. Je n'ai pas cessé de gagner des lots, dont j'ignorais la valeur en dollars – je ne connaissais pas précisément la valeur du pataca de Macao, la monnaie locale, qui est différente du dollar de Hong Kong que j'utilisais sur place.

Devant mes yeux, l'écran se remplissait de signes que je ne pouvais déchiffrer, mais je constatais que des bonis m'étaient attribués très régulièrement. À un moment donné, j'ai déclenché un jackpot. Le rêve de tout joueur. J'étais excitée, ravie, mais je ne pouvais partager ce plaisir avec les joueurs chinois, qui demeurent de marbre même si la machine leur éclate au visage. Sur l'écran, des pièces de monnaie ne cessaient de tourbillonner, accompagnées du son, doux et dur à la fois, de la monnaie qui s'entrechoque. Ça n'en finissait plus. Et je n'avais toujours personne avec qui partager l'intensité de mon plaisir. Puis, soudain, j'ai eu le sentiment d'être épiée. Je me suis retournée pour découvrir, quasi stupéfaite, une bonne douzaine de Chinois debout, silencieux, sans aucune expression sur la figure. J'ignorais depuis combien de temps ils m'observaient. Je leur ai souri et, avec des mimiques que je croyais comiques et contagieuses, leur ai exprimé ma satisfaction. Ils sont tous demeurés impassibles, sauf un homme qui m'a manifesté sa propre excitation en soulevant discrètement le pouce de sa main droite, geste de célébration à travers le monde. C'est rétrospectivement une des scènes les plus jubilatoires que j'ai vécues dans les casinos. Dans la culture asiatique, pourtant imprégnée de la passion du jeu, la retenue qui accompagne le jeu, le *poker face,* trouve tout son sens. À la suite de ce gain, et pour ne pas abuser de la patience amoureuse de mon mari – qui abhorre le jeu et les casinos en particulier –, j'ai retiré mon ticket de la machine et me suis précipitée au guichet pour l'encaisser. Je n'ai pu contenir ma joie lorsque j'ai découvert que j'avais gagné 2500 dollars américains. Je me suis empressée de rejoindre mon chéri et lui ai offert mon pactole, qu'il a empoché sans vraiment partager mon enthousiasme. Comme un Chinois, à vrai dire.

J'ai gardé du casino Marina Bay Sands de Singapour un souvenir à l'image de cette république – qui est en fait une ville-État –, devenue au fil des ans le quatrième plus grand centre financier de la planète. L'efficacité, l'extrême propreté, la courtoisie de sa population, composée de 75 % de Chinois, et bien sûr sa richesse évidente – avec un revenu par personne qui se classe au troisième rang mondial – en font un lieu attirant pour les riches. Mais cette richesse n'empêche pas qu'on y trouve les inégalités de revenu les plus marquées de tous les pays développés.

Le casino que j'ai visité est l'un des plus grands au monde. On y trouve des milliers de machines à sous et de jeux de table. On y est à l'évidence entouré de joueurs qui misent sans trop de retenue, comme j'ai pu le constater. Le luxe des lieux n'est pas tapageur, et la clientèle asiatique se comporte avec discrétion. Il est intéressant d'observer les joueurs sans pouvoir deviner – sauf si on s'approche d'eux, ce qu'il faut d'ailleurs éviter – s'ils perdent ou s'ils gagnent. À vrai dire, seules les machines les plus avancées sur le plan technologique créent le bruit permanent et soûlant si recherché des joueurs, mais qui rebute les touristes qui, par curiosité, s'y aventurent.

Dans ce casino, tout incite à jouer. Les machines remboursent des lots de façon régulière, le choix des jeux est sans limites, en quelque sorte, car aucun joueur ne peut satisfaire son goût de nouveauté, à moins de jouer quelques mises seulement dans chaque machine des heures durant. À Singapour, je n'ai rien gagné, mais je n'ai pas eu cette désagréable impression d'avoir été flouée, puisque je remportais des petits lots qui m'ont permis de jouer sans perdre mon propre argent, tout en buvant des Singapore Sling, offerts gratuitement sur le plancher du casino. Je garde cependant un souvenir impérissable du repas chinois que nous avons dégusté, dans un restaurant du casino où la qualité sublime des plats a compensé l'absence de jackpots. Jouer et perdre raisonnablement, ou se retrouver avec en poche la somme qu'on s'apprêtait à investir au jeu n'est pas une déception, car le plaisir de jouer a également son prix. À Singapour, ce plaisir fut vif, agréable et stimulant, à cause de toutes ces incroyables machines que je découvrais. Mais les flambeurs qui, sous mes yeux ce soir-là, lançaient des montagnes de jetons sur les tables étaient tendus comme des chasseurs de grands fauves en pleine action. C'est à Singapour que j'ai eu l'impression de croiser ces joueurs qui se ruinent d'un coup de dés.

En Europe, je vais rarement dans les casinos. Le plus vieux casino du monde est à Venise et il date de 1658. Il est situé dans un palais qui donne sur le grand canal et qui est chargé des ombres de ceux qui l'ont habité. C'est d'ailleurs là que Richard Wagner est décédé. Sa façade à l'architecture exceptionnelle, comme nombre de palais vénitiens, est le seul témoignage de la grandeur de l'époque. En effet, on a un choc en pénétrant à l'intérieur. Des salles sombres abritent quelques dizaines de machines qui, dans cet endroit jadis sublime, apparaissent comme des excroissances hideuses et témoignent de la désolation du lieu. S'ajoutent à cela la mauvaise humeur et l'impolitesse des rares employés, qui vous font sentir que vous n'êtes pas les bienvenus. On ressort du casino rapidement, à moins d'être un joueur compulsif à la recherche de sa drogue. Le casino de Venise est donc une expérience à éviter.

Chapitre 9

L'EXCEPTION FRANÇAISE

La France est un pays qui tente toujours de faire les choses autrement. Son prestige, la force de sa culture, son culte de l'élégance, de la beauté, de l'esthétisme et de la créativité, sa manière de fêter pourraient donner à penser que c'est en France que l'on trouverait des casinos d'exception. Des temples de jeu ludiques aménagés avec goût dans une atmosphère détendue, excitante à souhait, où seraient conjugués les plaisirs du jeu mais aussi ceux de la bonne chère. Le tout dans une joyeuse connivence.

Or, on ne trouve rien de cela. Les quelque 200 casinos répartis sur l'ensemble du territoire sont, sauf exception, très petits. Cachés au fond des villages ou en périphérie des villes, ils renvoient l'image de lieux peu fréquentables, déprimants, désuets et tristes, comme on en trouve dans les Caraïbes ou dans certains coins de l'Amérique profonde. En fait, ces casinos sont des lieux de tolérance. La clientèle est presque toujours locale et les joueurs sont perdants avant même d'y mettre les pieds.

Ce sont des casinos privés, dont la grande majorité est détenue par deux groupes financiers, Barrière et Partouche, le premier s'affichant haut de gamme et souvent prétentieux, alors que les casinos Partouche attirent le petit peuple. Les casinos les plus importants, quoique sans comparaison avec ceux qui existent ailleurs en Asie, aux États-Unis et même au Canada, se trouvent à Deauville-Trouville, en Normandie, et à Enghien, en banlieue de Paris. Seul le casino de Lille – propriété du groupe Barrière, il a ouvert ses portes en 2010 et est le casino le plus moderne de France – peut se comparer, en plus petit évidemment, aux casinos américains. Sa conception, son architecture de verre qui ouvre le casino sur la ville, son bar-restaurant au cœur du plancher de jeu, ses machines de dernière génération et une salle de spectacle en font un complexe récréatif de qualité. Ses graves déboires financiers depuis son ouverture s'expliquent par la crise économique qui sévit partout et des contraintes fiscales à l'évidence trop lourdes. Mais le casino de Lille se démarque de l'ensemble des casinos français, où le misérabilisme suinte.

À Enghien, j'ai remporté un jackpot de 2800 euros et ai constaté, là aussi, comme je l'ai mentionné dans un chapitre précédent au sujet du Casino de Nice, que les joueurs qui m'entouraient n'appréciaient guère ma chance. Seuls quelques amis qui m'accompagnaient ont exprimé leur contentement.

À vrai dire, on ne trouve guère, dans les maisons de jeu de France où je suis entrée dans les dernières années – une vingtaine environ, disséminée sur le territoire –, l'atmosphère que l'on recherche dans un casino. Cela s'explique sans doute par la relation qu'entretiennent les Français avec les jeux d'argent. Aux États-Unis, on remarque chez les joueurs une attitude plus désinvolte, plus ouverte, plus dégagée. Il n'y a pas de honte à jouer. On ne ressent pas de sentiment de culpabilité. Dans les casinos français, l'atmosphère est tout autre. On a l'impression que les joueurs préféreraient être à l'abri des regards.

Les casinos français permettent aussi à l'État de retirer des milliards sous forme de taxes. Un maire bourguignon m'a confié que le petit casino de Santenay rapportait davantage de taxes à la municipalité que les revenus des vignobles. Les casinos rebutent les élites politiques et médiatiques, qui les considèrent souvent comme des lieux n'attirant que de pauvres joueurs compulsifs à peine dignes de s'afficher en tant que Français. Le jugement sur les joueurs est fortement teinté du dédain pour tout ce qui touche l'argent et le petit peuple, comme on l'appelle, dont on croit – à tort bien sûr – qu'il représente la quasi-totalité des clients des casinos, sauf ceux de Deauville-Trouville probablement, et celui de Monaco, réservé aux puissants de ce monde.

En mai 2015, je suis retournée au Casino de Nice, alors que j'étais de passage un week-end dans la ville dans le cadre du Salon du livre. Le nombre de machines avait encore diminué. On en trouvait moins d'une centaine (il y en a des milliers dans les casinos importants des États-Unis) et seulement quelques nouveaux spécimens de machines numériques. C'est très peu pour une ville de tourisme international. J'ai joué plusieurs coups sur une machine que l'on trouve à Las Vegas et en Floride – donc que je connais – et j'ai été étonnée qu'elle ne renvoie aucun petit lot après que j'y eus introduit une cinquantaine de pièces. J'ai donc interpellé un employé qui, après l'avoir examinée, a constaté qu'elle ne fonctionnait pas. J'ai demandé qu'on me rembourse les 50 euros joués, ce dont il aurait la preuve en ouvrant l'appareil qui contenait mon ticket, mais à ma stupéfaction, il a refusé tout net. «Lorsque vous jouez, m'a-t-il dit, vous êtes responsable. C'est à vous de vous assurer que la machine n'est pas défectueuse.» J'ai cru qu'il blaguait. Hélas, j'ai déchanté sur-le-champ. Avec l'autorité de sa fonction, il a poursuivi sa leçon : « Aucun règlement, aucune loi en France n'oblige le casino à vous remettre votre mise. » Ahurie, j'ai quitté les lieux sans dire mot. Cette réaction typiquement française éclaire sur la culture du pays, sur l'éthique du commerce et sur le peu de considération que l'on éprouve pour ceux qui ont le malheur de fréquenter les casinos.

L'hypocrisie, le rapport tordu à l'argent, qui est une source d'envie et de mépris, plombent l'industrie du jeu, dont les autorités ne tolèrent l'existence que pour récupérer des taxes. Elles ne tiennent guère compte des millions de Français qui s'adonnent au jeu et qui méritent mieux que ces vestibules du purgatoire où, à l'abri des regards, les gens quasi honteux trouvent du plaisir à déjouer le hasard.

Chapitre 10

LAS VEGAS, LIEU DE PERDITION

Pour tout joueur, Las Vegas est le lieu où se perdre. Perdre son argent, sa raison, son jugement, pour s'épuiser à jouer, donc perdre le sens de la mesure. Par contre, c'est aussi l'endroit où l'on s'attend à gagner des gros lots, à cause de l'atmosphère intense qui y règne. La présence électrisante et inévitable des aires de jeu efface tout le reste. Las Vegas, en ce sens, est la fossoyeuse des joueurs. Même ceux qui échappent à la compulsion. Les seuls visiteurs des casinos qui en ressortent indemnes sont ceux que le jeu intéresse peu ou dégoûte.

J'ai découvert Las Vegas à la fin des années 1990, lors d'un détour en route pour Los Angeles. Je me souviens m'être amusée quelques heures avec 100 dollars en poche. Les machines recrachaient régulièrement de petites sommes, faisant durer le plaisir des joueurs. En fait, j'avais surtout été frappée par la faune qui y séjournait, bruyante, alcoolisée, excitée et en apparence inoffensive. À l'époque, ayant peu fréquenté les casinos, je n'étais pas en mesure de différencier les joueurs compulsifs des joueurs disons «normaux».

J'y suis retournée de façon épisodique dix ans plus tard pour la préparation de l'ouvrage sur Céline Dion, afin de rencontrer des membres de son entourage professionnel. C'est alors que j'ai pu observer, tout en jouant moi-même, les joueurs attirés par la profusion de casinos et leur réputation, plus mythique que réelle. Car jusqu'à la crise économique qui a secoué la planète au début du XXIᵉ siècle, les touristes qui débarquaient à Las Vegas croyaient qu'ils allaient ramasser des jackpots à répétition.

Las Vegas, secouée par cette crise, a perdu depuis des plumes et des joueurs, mais elle offre à tous ceux qui y vont, joueurs ou non, ce que l'on ne trouve dans aucune autre ville de la terre, à savoir un sentiment d'être projeté dans un monde à l'abri de toutes contraintes. Le jour et la nuit se confondent, l'heure n'existe plus, et surtout, la vie sociale est enfermée autour du Strip, cette avenue où les répliques de la tour Eiffel et de l'Arc de Triomphe du complexe hôtel-casino Paris dominent les canaux, sur lesquels glissent les gondoles de l'hôtel-casino The Venetian, qu'observent en face, sur leur bateau, les pirates de l'hôtel Treasure Island, que snobent les clients cachés derrière les fenêtres panoramiques des élégantes tours dorées qui explosent au soleil du très chic hôtel-casino Wynn.

Cette profusion architecturale aussi bâtarde que délirante, le bruit des machines à sous qui se propage jusque sur les trottoirs, les éclats de rire, les visages ahuris, voire sceptiques ou amusés de la foule nous font oublier que hors de Vegas, la terre continue de tourner. À part ceux qui, horrifiés, ont quitté la ville quelques heures après y être débarqués, chacun se laisse aller au plaisir et au dépaysement qu'offre cet endroit, où le grotesque et le bon goût sont entrelacés, en quelque sorte.

À Las Vegas, les joueurs jouent jusqu'à épuisement. À cinq heures du matin, on peut apercevoir les accros, vitrifiés eux-mêmes devant les écrans des machines où gambadent des lapins, plongent des poissons rouges ou s'extraient de leur cercueil des morts-vivants. Dans les restaurants, certains dévorent des steaks comme petit déjeuner, pendant que d'autres ingurgitent café au lait ou margaritas et pina coladas.

Las Vegas est donc un défouloir où les joueurs, mais aussi les simples touristes, vont s'éclater. Pour les premiers, les risques sont de taille, puisque l'argent ici brûle les mains. Pour les autres, la ville est un *no man's land* qui se résume par un slogan aussi bête que représentatif : « *What happens in Vegas stays in Vegas* » (Ce qui se passe à Vegas reste à Vegas).

Le côté sulfureux de la capitale du vice, que les autorités locales tentent d'atténuer en attirant un tourisme familial, est sans doute ce qui distingue les casinos de Vegas de ceux d'ailleurs aux États-Unis. Mon attirance pour Vegas, qu'on doit consommer à doses modérées – une fois par an dans mon cas –, repose sur un sentiment illicite, en quelque sorte. Ce n'est pas la raison qui nous amène dans la ville, c'est la partie délinquante de soi, celle qui se moque à la fois des contraintes sociales, du jugement des autres, des obligations quotidiennes. Dans ce monde clos, outrancier et excitant, on s'enivre non pas avec l'alcool, bien que plusieurs, des jeunes en particulier, y viennent d'abord pour boire jusqu'à en perdre la mémoire, mais pour éprouver une « insoutenable légèreté de l'être », pour citer le titre du célèbre roman de Milan Kundera.

Les joueurs compulsifs, mais aussi tous les autres, viennent à Vegas pour se plonger dans des eaux troubles, certes, mais qui leur permettent de flotter dans le plaisir aigu sans entraves, de jouer jusqu'à la limite de leurs capacités financières et physiques. Le déplaisir et l'anxiété surviennent au moment des pertes, dont l'importance est fonction des contraintes monétaires de chacun.

Jouer dans un casino à Vegas peut avoir des conséquences plus graves que n'importe où ailleurs. Car plusieurs viennent à Vegas avec des forfaits (hôtel et avion) qui les transforment de joueurs en prisonniers, si l'on peut dire. En effet, il est difficile pour nombre de joueurs de prendre la décision de quitter leur hôtel et de modifier leur billet de retour, avec les frais que cela engage, si d'aventure ils perdent, au début de leur séjour, l'argent qu'ils prévoyaient réserver au jeu.

Le sentiment grisant de pouvoir jouer durant des heures, jour et nuit, jusqu'à ce que le sommeil devienne impératif, se transforme alors en un accablement qui peut plonger dans la dépression les personnes fragiles susceptibles d'être éventuellement détruites par l'addiction. À vrai dire, Las Vegas est aussi le lieu du dérapage personnel, à l'opposé du sentiment d'euphorie et de liberté procuré par l'adrénaline qui s'observe chez tous les touristes dès leur arrivée à l'aéroport international McCarran, au milieu du désert.

Las Vegas fait également éclater les classes sociales. Difficile de distinguer les riches des pauvres, sauf par le choix de l'hôtel et des restaurants. L'absence de code vestimentaire, qui donne lieu à un relâchement public généralisé ainsi qu'à une fébrilité et une excitation contagieuses dans cette excroissance urbaine entourée d'un cirque de montagne de roches et de sable, homogénéise en quelque sorte les touristes, venus des quatre coins du monde. Tout le monde a l'air un peu dépaysé. Le plus surprenant est le peu de communications entre les gens. Dans les casinos, en particulier, les joueurs évitent d'engager la conversation. Chacun demeure isolé dans sa bulle, face à l'écran de la machine, car les joueurs préfèrent être seuls pour éprouver le plaisir du jeu, cette forme singulière de plaisir solitaire.

Ce qui distingue les casinos de Las Vegas de tous les autres réside dans le fait que les machines recrachent des gains de façon assez régulière, permettant ainsi au joueur d'avoir l'impression qu'il ne perd pas. Si, par chance, on remporte un gain important, plus de 1000 dollars par exemple, la seule façon de le conserver est de cesser de jouer. Car inévitablement, ces 1000 dollars seront engloutis plus ou moins rapidement si l'on persiste à jouer plusieurs heures. Si bien qu'au cours d'un séjour de deux ou trois jours où l'on joue régulièrement, comme c'est la norme pour les joueurs que n'intéressent ni les spectacles éblouissants du Cirque du Soleil, ni ceux des chanteurs, comme celui de Céline Dion, ni la fréquentation des restaurants où l'on peut manger divinement à peu de frais, ce séjour ne peut permettre de repartir avec des gains. Dans le meilleur des cas, on ne perd pas et on ne gagne pas. Sauf lorsqu'on a la chance de décrocher un gros lot, ce qui m'est arrivé à 3 occasions, alors que j'ai récolté 3100, 2600 et 1800 dollars la veille du départ.

Vegas est à l'image d'une certaine culture américaine décomplexée face à l'argent, caricaturale, vulgaire, superficielle d'une part mais dynamique, insolente, ludique et terriblement fascinante d'autre part. Face à Las Vegas, la tiédeur est impossible. On l'aime ou on la déteste, que l'on soit touriste ou joueur.

Chapitre 11

LE QUÉBEC ET SES CASINOS

C'est en 1992 que la Société des casinos du Québec (SCQ), une filiale de Loto-Québec, a vu le jour. Sachant qu'une partie de l'opinion publique s'opposait à l'idée même de casinos sur le territoire québécois, le gouvernement a défendu la création de la SCQ, arguant qu'elle serait un instrument de création d'emplois et qu'elle permettrait l'instauration d'établissements touristiques de classe internationale. Ainsi remplirait-on les coffres du Québec grâce aux riches joueurs des États-Unis et d'ailleurs, et l'on récupérerait dans la foulée l'argent que les Québécois allaient jouer dans les casinos hors des frontières de la province.

À vrai dire, la création de ces casinos a été présentée comme une voie incontournable par un gouvernement qui tentait d'améliorer la situation économique en créant des emplois et en remplissant les coffres de l'État. Par ces arguments, le Parti libéral alors au pouvoir cherchait à éviter de situer le débat social et politique autour de questions éthiques fondamentales et de la pertinence de transformer l'État en propriétaire et gestionnaire de maisons de jeu. Il faut préciser que nos casinos d'État confirment le statut particulier du Québec, car une telle structure n'existe nulle part ailleurs. En témoigne le fait que les casinos de l'Ontario, qui appartiennent aussi à la province, sont gérés par une entreprise privée dont l'expertise en matière de jeu est internationale. En France, pays où le socialisme est actuellement au pouvoir, et là où on a fait historiquement la part belle aux entreprises d'État, les casinos appartiennent à des groupes privés. C'est par la fiscalité, c'est-à-dire en taxant les sociétés de jeu, que l'État retire des milliards d'euros de revenus annuellement. En aucun cas, l'État français n'a manifesté l'intérêt de posséder lui-même des casinos.

Il existe quatre casinos au Québec, celui de Montréal, celui du lac Leamy à Gatineau, celui de Charlevoix, et enfin celui de Mont-Tremblant. Dans ce dernier cas, les responsables ont cru que ce casino attirerait, l'hiver, les riches Américains amateurs de ski. Au moment du boom économique exceptionnel de la région en 1991, on s'est mis à rêver à cette élite financière internationale qui ne jurerait plus que par le mont Tremblant et sa région à la fois sauvage, dynamique et aux activités sportives sans limites. Ces résidents occasionnels s'installeraient dans des domaines de rêve à l'abri de la rumeur du monde. Bref, on offrirait un paradis pour privilégiés, qu'il faudrait aussi distraire avec des restaurants, des bars et des boutiques haut de gamme. Pour eux, on construirait un casino digne de leurs moyens, une sorte de Monaco du Nord, affirmaient des promoteurs jovialistes. Or, on connaît la suite. Le rêve s'est évaporé avec l'effondrement de l'économie mondiale et le casino a perdu de son lustre, faute de joueurs comme on en trouve à Vegas, à Macao ou à Monaco. Un des seuls faits d'armes de ce casino n'est pas d'avoir fait gagner des millions, mais d'avoir obtenu, en 2010, une certification BOMA BESt de niveau 3 accordée aux immeubles qui ont une gestion remarquable en matière de performance énergétique et environnementale !

Le casino du lac Leamy à Gatineau n'a jamais eu de telles prétentions et il attire, comme tous les casinos québécois, une clientèle locale et aussi ontarienne. On peut dire que ce casino a peu d'attrait pour les joueurs qui ont fréquenté d'autres casinos, comme ceux des autochtones au Canada ou des Amérindiens en Floride ou au New Jersey.

Le casino de Charlevoix, qui a ouvert ses portes en 1994, est le plus agréable des casinos du Québec. Installé dans un pavillon du Manoir Richelieu, devant le fleuve St-Laurent à La Malbaie, il a attiré dès les premières années des joueurs de toute la région, ainsi que de la Côte-Nord et du Lac-Saint-Jean. Cette population captive, surtout durant les longs hivers, a répondu avec enthousiasme à cette «distraction» aussi nouvelle que problématique. Durant les quatre ou cinq premières années, la présence du casino a désorganisé de façon dramatique la vie paisible des gens du coin. Trop de résidents de la région ont été incapables de résister à l'addiction.

Un responsable d'une banque de La Malbaie m'a confié que des personnes à faible revenu avaient englouti toutes leurs économies au casino en jouant principalement aux machines à sous. Puis, les gens se sont calmés. Ceux qui avaient tout perdu ont disparu, et comme tout le monde se connaît dans la région, un encadrement plus ou moins officiel s'est exercé sur ceux qui étaient à risque. Mais on trouve là, comme partout ailleurs, une proportion de joueurs compulsifs.

J'ai joué dans ce casino, petit et convivial car les gens se parlent entre eux comme nulle part ailleurs, et ai été en mesure de constater le contrôle social qui s'exerce. Un joueur de la région qui fréquente régulièrement ce casino ne peut passer inaperçu. D'ailleurs, des liens familiaux et amicaux unissent souvent le personnel aux joueurs. J'ai été à même de voir le type d'intervention de ces employés. Ces derniers ont appris par expérience et avec un minimum de formation à reconnaître un joueur en danger, celui qui perd le contrôle de lui-même devant la machine alors qu'il est gonflé à la dopamine.

Une vieille dame, visiblement mal en point, a été interpellée avec délicatesse par un gardien de sécurité, qui l'a convaincue de se retirer de la machine. «Je pense que vous êtes un peu fatiguée, madame Gagnon. Il me semble qu'un bon petit café vous ferait du bien. On va aller le boire ensemble, si vous le voulez bien.» La dame s'est laissé conduire vers la buvette, où des boissons sont à la disposition de la clientèle. Un peu plus tard, j'ai aperçu le même employé qui la raccompagnait vers la sortie. Une scène triste, bien sûr, mais qui témoigne d'un climat qu'on ne trouve guère dans la plupart des casinos, où la dépersonnalisation des relations entre le personnel et la clientèle est la règle.

En fait, personne n'empêche les joueurs de dilapider leur argent, sauf si ces derniers créent des perturbations pouvant nuire au bon fonctionnement de ces établissements où la fébrilité, la tension et l'émotivité participent de la griserie du jeu lui-même.

Enfin, le vaisseau amiral des casinos du Québec est bien sûr celui de Montréal, le premier à avoir vu le jour, en 1993. Ceux qui fréquentent ce casino, un des plus importants du Canada en termes de tables de jeu et de machines, parlent d'une période apparemment dorée, celle du début, alors qu'ils se rappellent le plaisir qu'il y avait à jouer et à gagner régulièrement, car leur mémoire sélective n'a retenu que les gains. Impossible de savoir si cela correspond à la réalité. Cependant, tous les témoignages des joueurs rencontrés au cours de mes nombreuses visites et qui m'ont permis de recueillir de précieuses informations se recoupent. Et je l'ai moi-même vérifié. Malgré les chiffres officiels des dirigeants du casino, qui affirment que le taux de retour des mises des joueurs est de 75 %, ce casino en situation de monopole n'est pas un endroit où l'on gagne. Car si les casinos sont les derniers lieux pour faire de l'argent, le joueur étant toujours perdant en bout de ligne, il est impératif qu'il ait le sentiment de déjouer parfois le hasard.

Le bâtiment qui abrite le Casino de Montréal a été au départ mal choisi. Il a été installé dans l'ancien pavillon de la France, construit dans le cadre de l'Exposition universelle de 1967. Le président Charles de Gaulle l'avait visité à l'époque. Cette structure de verre et de métal à l'architecture flamboyante et maniérée se prête mal aux exigences d'un casino. Pour circuler à l'intérieur, les joueurs doivent marcher constamment, prendre des ascenseurs et des escaliers roulants. Sur les étages, les machines sont dispersées de telle façon qu'elles sont difficilement accessibles. Il est impossible d'avoir une vue d'ensemble des lieux comme dans la majorité des casinos du monde, où l'aire de jeu se déploie sur un seul étage.

C'est à Montréal que j'ai entendu le plus de récriminations sur l'offre de jeu et les possibilités d'y gagner des lots. Ma propre expérience m'amène à penser que les critiques sont fondées et justifiées. Au cours de mes nombreuses visites, de 2012 à 2015, j'y ai gagné des lots modestes, à l'exception d'un seul de 1600 dollars. Il n'y a aucune comparaison à faire avec les casinos de la Floride ou de Las Vegas, où j'ai touché 5550 dollars dans une machine à sous après avoir joué deux mises de trois dollars, et plusieurs gros lots de milliers de dollars.

À vrai dire, les casinos du Québec, dont les revenus ont baissé régulièrement depuis quelques années, sont à l'image de la société québécoise. Monopole d'État, les casinos sont gérés par Loto-Québec, dont ils sont une filiale. Leur marge de manœuvre est limitée par le gouvernement, toujours à la recherche d'argent pour combler les déficits. La gestion des casinos est rigide et les fonctionnaires qui l'exercent manquent, à l'évidence, de vision, pour ne pas dire de compétence dans le domaine. De plus, certains semblent partager les préjugés véhiculés par rapport à l'objet même de cette activité qu'est le jeu. À trop insister publiquement sur la prudence à exercer face aux dangers de l'addiction, on comprend que les dirigeants ont des réticences à assumer leur rôle. Ils sont à cet égard le miroir de la société tout entière, qui estime qu'il est problématique· pour l'État de posséder ces lieux à la légitimité douteuse. Cette ambivalence, qu'on pourrait aussi qualifier d'hypocrisie, se vérifie dans le climat plutôt lourd qui pèse à l'intérieur du Casino de Montréal, qui est mal organisé, encadré par un personnel insatisfait, et avec un choix de jeu limité, si on le compare avec celui qu'on trouve dans les casinos de mêmes dimensions au Canada et aux États-Unis. L'âge des joueurs étant relativement élevé, il est évident que cela teinte l'atmosphère. Rares sont les gens qui ont l'air de s'y amuser, contrairement, par exemple, à celui de Charlevoix, que j'ai fréquenté de façon régulière tout un été. Surtout, ce casino, dont les dirigeants se vantaient de faire le lieu privilégié des grands joueurs étrangers, attire essentiellement une clientèle locale.

Le Casino de Montréal a bien tenté, en 2006, de déménager dans la métropole dans un immense complexe devant le bassin Peel, en partenariat avec le Cirque du Soleil, mais ce projet a échoué lamentablement et n'a réussi qu'à mobiliser les groupes sociaux qui s'opposent à sa présence depuis toujours. Depuis, le Casino de Montréal a investi des centaines de millions de dollars en rénovations en tous genres, entre autres des bars peu fréquentés, sans résultats tangibles, alors que les habitués n'espéraient qu'une amélioration sensible des possibilités de gains. Plusieurs joueurs se rendent plutôt aux États-Unis, dans les casinos situés sur les réserves indiennes près de la frontière canadienne. La crise économique se répercute aussi sur les revenus du jeu, qui périclitent d'année en année. La clientèle, trouvant son profit ailleurs, a diminué sensiblement. Et les amateurs qu'on y croise ne cessent de critiquer la gestion. Ils n'ont d'autre solution que de bouder le casino, mais l'attrait du jeu les en empêche, à l'évidence. Désormais, ils diminuent leurs visites et limitent le budget consacré à leur activité préférée.

Cet échec par rapport aux intentions initiales, lorsque les casinos furent mis en place, n'est pas sans lien avec une dégradation de la gestion des institutions publiques et un manque de vision des responsables politiques. Une question brutale doit donc être posée : est-ce la responsabilité d'un État moderne de posséder et avant tout de gérer des établissements de jeu ?

Enfin, sur quelle base peut-on justifier la présence de casinos propriétés de l'État si ceux-ci ne rapportent plus dans les coffres les milliards nécessaires au financement de la santé et de l'éducation, voire de la culture, seules raisons véritables à la présence de l'État dans ce secteur d'activité ? Cela soulève un débat éthique et des problèmes sociaux non négligeables.

Chapitre 12

LA PSYCHOLOGIE DU JEU

Les gens qui détestent les jeux d'argent sont légion. Ils refusent de voir cette activité, qu'ils considèrent comme moralement néfaste, sous l'angle du plaisir. Encore moins comme une forme de thérapie. Comment, se demandent-ils, peut-on retirer du plaisir à faire tourner durant des heures des machines aux jeux débiles qui engloutissent l'argent qu'on y met, tout en sachant rationnellement qu'on ne peut qu'y perdre au change?

Or, tout joueur, et pas seulement celui qui est dépendant, retire de cette activité répétitive et lassante des émotions d'autant plus fortes qu'elles sont fugaces et donc frustrantes à long terme. Car il faut préciser que les joueurs sont patients et aiment faire durer leur excitation. Contrairement à la drogue, qui agit rapidement et dont l'effet dure plus ou moins longtemps, les gains spectaculaires qui apparaissent sur l'écran, multipliant les endorphines à la base du plaisir, sont très rares. Un joueur peut jouer des heures sans que la machine lui rapporte autre chose que des montants insignifiants, souvent inférieurs à la somme misée. Et il peut jouer des mois sans jamais connaître l'apothéose du plaisir puissant et rapide comme l'éclair provoqué par un jackpot exceptionnel.

Le plaisir, pour un grand nombre de gens, est lié au casino lui-même, ce lieu improbable qui provoque une fébrilité et un état de bien-être qui n'est pas sans lien avec l'impression qu'il génère de s'extraire de toutes les contraintes et d'appartenir à un monde sous-terrain. En jouant, on peut oublier qu'on a faim, qu'on a soif, qu'on a des maux de dos, des migraines et des inquiétudes diverses. Le casino est l'un des endroits publics où l'on voit peu d'utilisateurs de téléphones intelligents, ce lien avec l'extérieur devenu pathologiquement essentiel. En jouant dans un casino, le joueur s'enferme dans sa bulle de plaisir, tout en communiant à l'intensité ambiante, entouré de ceux qui lui sont étrangers mais avec qui il partage, plus ou moins consciemment, une expérience souvent inavouable aux autres.

Il y a un autre type de joueurs, dont le nombre ne cesse d'augmenter. Ce sont les solitaires qui jouent en ligne, isolés entre quatre murs devant leur ordinateur ou leur téléphone intelligent. Parmi eux, on trouve des gens qui sont incapables de se déplacer, qui vivent loin des casinos ou qui recherchent l'anonymat. Ces joueurs sont sans doute plus à risque, dans la mesure où aucune pression extérieure ne s'exerce sur eux. Dans plusieurs casinos, des panneaux publicitaires affichent des mises en garde contre l'addiction et des numéros de téléphone pour demander de l'aide. Les joueurs fréquentant régulièrement le même casino, surtout s'il est petit, peuvent être repérés par les agents de sécurité, avec lesquels ils échangent et qui, en cas de perte évidente de contrôle, ont la capacité d'intervenir afin de leur porter secours. En d'autres mots, les joueurs en ligne risquent davantage d'être incapables de contrôler leurs pertes. On est loin ici de la notion de plaisir, il faut en convenir.

Pour comprendre le plaisir du jeu, il faut l'expérimenter soi-même. D'ailleurs, que disent les gens qui détestent les casinos ? Ils vous expliquent qu'ils ont joué aux machines ou aux tables et qu'ils n'ont absolument pas compris que l'on puisse y trouver la moindre satisfaction. Or, lorsqu'on trouve plaisir à jouer, comme c'est mon cas, on constate rapidement qu'on a envie de le faire perdurer. Mais pour éprouver ce sentiment agréable, ludique et distrayant, il faut garder à l'esprit cette vérité irréfutable que jouer n'est pas synonyme de gagner, que les gains sont aléatoires, soumis au pur hasard et au contrôle des dirigeants des maisons de jeu, du moins en ce qui concerne les machines. Car en ce qui a trait aux jeux de cartes, par exemple, la loi du hasard peut être tempérée par l'habileté des joueurs qui s'y adonnent. Un adepte du poker doit avoir un talent indéniable pour le bluff, on l'admettra volontiers. D'ailleurs, bluffer l'adversaire malgré une mauvaise main, fruit du hasard, est un puissant plaisir. Aussi intense parfois que celui du gain lui-même.

Le plaisir du jeu est complexe et multiforme. Il se retrouve de la même façon dans les activités sportives. Dès qu'il existe une compétition où le hasard joue parfois un rôle, l'excitation, le plaisir, le stress, ces moteurs de l'émotion qui aiguisent la conscience de vivre, transportent les êtres.

Devant la machine à sous, chaque joueur éprouve un plaisir qui s'inscrit dans ses rêves, dont le plus absolu se rapporte à la mort. Chaque mise est symboliquement une tentative, en déjouant le hasard, de défier la mort. Et chaque gain le moindrement substantiel transporte, l'espace d'un instant, dans un état d'immortalité. Ainsi, le plaisir du jeu découle d'une illusion dont ne sont pas dupes les joueurs qui, en majorité, comme l'indiquent les recherches, ne plongeront jamais dans l'enfer de l'addiction.

Mais le plaisir du gain est fugace et s'atténue rapidement, si bien que le joueur doit miser à nouveau rapidement. J'ai éprouvé ces émotions fortes lors de gains importants de 1000 dollars et plus à maintes reprises. Un jour, au Seminole Hard Rock Hotel & Casino en Floride, l'écran de ma machine s'est soudain illuminé, des abeilles, des ours, des ruches dégoulinantes de miel et des «*wild*» indiquant des frimes ont couvert les cinq rangées consécutives de l'écran sur lequel apparaissaient également les reines de la ruche. J'ai ressenti un coup au cœur, sans deviner dans l'instant l'importance de la somme remportée. Une demi-seconde plus tard, le montant de 5550 dollars s'affichait au centre de l'écran, où s'agitaient, en arrière-plan, les reines bourdonnantes qui déployaient leurs ailes. À peine quelques secondes plus tard, l'excitation retombait. J'avais gagné le gros lot, j'étais euphorique mais hélas incapable de remonter le temps comme dans un film, afin d'éprouver à nouveau la fulgurance du plaisir déjà atténué.

J'ai quitté les lieux sur-le-champ, comme chaque fois que je touche un gros lot significatif, c'est-à-dire, selon mes critères, au-delà de 600 dollars, habitude que devraient suivre impérativement tous les joueurs qui fréquentent les casinos. Le spectacle le plus désolant, auquel j'ai souvent assisté, est celui de joueurs qui décrochent des jackpots de plusieurs centaines, voire de quelques milliers de dollars, et qui continuent de nourrir les machines, ces monstres dont ils sont devenus les esclaves, et qui les dépouilleront plus ou moins rapidement.

Si on souhaite jouer sans succomber à l'addiction, il faut savoir quitter un casino lorsqu'on y fait des gains substantiels, ou lorsqu'on perd la somme qu'on avait l'intention d'investir dans le jeu dès l'arrivée. À l'intérieur du casino, on peut se brûler les doigts sans même en ressentir l'effet sur le moment. Le plaisir de jouer est indissociable de la prise de risque des joueurs. Dans mon cas, miser quatre ou cinq dollars à la fois me stresse, donc ne m'amuse plus. Je n'y retire que du désagrément, et il m'est arrivé de me semoncer moi-même après avoir quitté l'aire de jeu.

La fréquentation de casinos n'est pas un divertissement banal. Comme la drogue et l'alcool, ses adeptes connaissent le danger qu'elle représente. Celui d'effacer de sa mémoire les pertes importantes, inévitables lorsque l'on joue de façon régulière, en est un. Car il faut reconnaître que les joueurs ont tendance à ne parler que de leurs gains.

Chacun est libre de ses actes et il est grisant de s'approcher de ces lieux où les êtres humains s'offrent du plaisir et où se conjuguent le risque, le hasard, l'argent, un parfum de soufre et le sentiment de franchir un interdit. Tous les joueurs, même occasionnels, ont ressenti devant les machines à sous ou les tables cet appel du vide, qu'on pourrait définir comme la tentation de perdre le contrôle en engloutissant des sommes bien au-dessus de leurs moyens, ce qui a pour conséquence de les entraîner dans des abîmes de malheur.

Chapitre 13

LES MISÈRES DU JEU

Les recherches des spécialistes du jeu et des casinos portent très majoritairement sur les joueurs compulsifs. Or, les statistiques démontrent que ces derniers représentent entre 3 et 3,5% de l'ensemble des gens qui s'adonnent aux jeux d'argent. Il est difficile de trouver des études qui seraient, disons, plus neutres dans leur approche de ce phénomène social, qui risque de se développer davantage dans l'avenir, car il n'est pas sans lien avec l'attachement des utilisateurs pour la quincaillerie technologique.

Dans le passé, les machines à sous n'étaient pas accessibles aux particuliers. Il fallait se déplacer pour y avoir accès. Cela limitait le nombre de joueurs. Aujourd'hui, les vidéopokers sont répandus un peu partout dans la plupart des pays, là où les casinos ne sont pas implantés. De plus, le jeu en ligne est à la portée d'un clic pour la majorité des utilisateurs d'ordinateurs personnels. Car l'attrait pour les jeux de hasard est aussi favorisé par cette facilité déconcertante à jouer à l'argent sans autre contrainte que le jugement de certains.

Contrairement aux alcooliques, pour lesquels existe une forme de tolérance sociale, les joueurs en général sont mal vus et jugés durement. On en veut pour preuve les personnages d'alcooliques dans les fictions, qui sont montrés comme de bons bougres, drolatiques et accommodants. Les personnages de joueurs sont rarement présents dans les fictions, sauf lorsqu'il s'agit de surdoués ou d'escrocs qui font sauter les banques des casinos. Lorsqu'il est question des joueurs, on leur accole les étiquettes de pauvres, d'ignorants, de faibles, d'irresponsables à la personnalité perturbée.

Il m'arrive, par pure provocation, d'afficher publiquement le plaisir que je retire de fréquenter à l'occasion les casinos. «Je n'aurais jamais imaginé ça de toi», m'a dit une connaissance rencontrée par hasard et qui m'avait entendue en parler à la radio. «J'ai toujours le même quotient intellectuel», lui ai-je répondu, sans ajouter que je constatais la même chose chez elle, hélas. À un autre qui m'avouait sa déception de me savoir fréquenter ce «monde-là» dans les casinos, j'ai fait remarquer qu'un de ses collègues, juge comme lui, s'était présenté à moi au casino lorsqu'il s'adonnait aussi à ce vice. «Ah bon!» a-t-il répondu, l'air estomaqué. Par contre, une dame d'un âge certain, souriante et bruyante, m'a apostrophée en ces termes pendant que je jouais : «C'est bien toi, je me trompe pas, c'est ma Denise.» «Eh oui!» ai-je répondu en riant de bon cœur. La dame s'est alors tournée vers un groupe d'amies qui jouaient derrière nous. «Regardez qui est là, a-t-elle crié avec un peu trop d'enthousiasme à mon goût. C'est bien elle. Pis on sait pourquoi qu'on l'aime tant. Elle est comme nous autres, elle joue au casino!» C'est un des commentaires les plus surprenants et les plus touchants que j'ai reçus durant ma carrière de joueuse. Ma tante Edna, la joueuse de machines à sous de mon enfance, a dû être fière de sa nièce du haut du ciel, ce jackpot absolu.

Les misères du jeu sont réelles, mais après avoir discuté pendant deux ans avec des joueurs dans les casinos du Québec, terrain où il m'est plus facile d'aborder les gens qu'à l'étranger, où je me perds dans l'anonymat, j'ai été déstabilisée par les témoignages des uns et des autres. Car le casino sert de soupape de décompression et de zone de non-mémoire pour nombre de gens.

Un soir, je me suis assise à côté d'une jeune femme qui avait attiré mon attention par sa façon étrange de jouer. Elle arrêtait toujours la machine avant la fin du cycle d'un coup sec sur le bouton avec la paume de la main. Je n'avais jamais vu pareille manière de jouer. «Vous allez vous blesser», ai-je osé lui dire, car on ne s'adresse guère à un joueur avant qu'il y ait eu un bref échange de sourires. Elle a levé les yeux vers moi et m'a reconnue. «Je suis déjà blessée. Mon conjoint m'a quittée il y a deux mois pour une autre femme. Je n'ai rien vu venir.»

Elle n'avait jamais mis les pieds dans un casino ni joué à l'argent avant cet abandon. Un «bon» samaritain lui avait conseillé le casino pour se changer les idées. Ce qu'elle faisait depuis 60 jours tous les soirs et jusque tard dans la nuit. Elle jouait pour oublier et c'était efficace, affirmait-elle. Sauf que, peu fortunée, elle était en train d'y laisser ses maigres économies. «J'ai peur des calmants et de la drogue, et boire me rend malade.» Le casino engourdissait sa douleur. Cette éclopée de l'amour ne croyait pas à l'aide psychologique. «Si je ne venais pas au casino, je serais nulle part», a-t-elle murmuré en me serrant dans ses bras. Elle m'avait enlevé le plaisir que j'éprouvais à jouer et j'ai quitté les lieux avec un sentiment d'impuissance.

Quelques semaines plus tard, j'ai reçu un message d'elle. Elle s'était arrachée au casino et vivait à des centaines de kilomètres au nord, hébergée par des connaissances. La douleur de l'abandon amoureux avait failli la plonger dans celle de l'addiction. Si le malheur conduit au jeu, il peut être quintuplé par lui. On est ici aux antipodes du plaisir recherché.

Une autre rencontre m'a troublée énormément. Je m'étais rendue au casino en soirée, car des responsables m'avaient informée que de nombreux jeunes s'y rendaient en fin de soirée, attirés en particulier par les tables de blackjack. Je m'apprêtais à quitter les lieux lorsqu'un couple m'a abordée. La dame avait un plâtre au bras et jouait à une machine, seule ; son mari se tenait derrière elle. Spontanément, elle m'a raconté son histoire.

On lui avait diagnostiqué une grave maladie respiratoire qui la handicapait, mais surtout, qui la plongeait dans l'angoisse de la mort. « Je n'arrive plus à dormir la nuit et les somnifères et les calmants me sont déconseillés. » Elle avait, avant sa maladie, joué de façon occasionnelle au casino. Son mari n'avait aucune espèce d'attirance pour ces lieux, qu'il trouvait suprêmement déplaisants, mais c'était le seul endroit qui permettait à sa femme de passer à travers la nuit.

Le couple y arrivait vers 23 h et repartait aux petites heures du matin, lorsque la fatigue s'emparait de la dame. En arrivant à la maison, elle se mettait au lit et dormait jusque tard dans la matinée. « Je suis beaucoup moins angoissée grâce au casino. La nuit me fait trop peur. Ici, j'oublie que mes jours sont comptés. »

J'ignore les sommes qu'elle misait, mais elle semblait à l'aise financièrement. Je ne l'ai plus jamais croisée, car je fréquente le casino de façon très épisodique. Mais cette femme avait trouvé son apaisement devant les machines aux écrans illuminés et bruyants, dans cet espace figé où le Soleil et la Lune sont indissociables, et où des personnes qui fuient leur vie douloureuse se réfugient jusqu'à l'aube. D'ailleurs, des résidences pour personnes âgées organisent des navettes en fin de soirée vers les casinos afin de permettre aux insomniaques de se distraire. Mais à quel prix, se demande-t-on?

Tout habitué des casinos peut distinguer les accros du jeu à l'œil nu. En général, les joueurs dépendants sont peu attentifs à leur environnement immédiat, sauf lorsqu'un joueur gagne soudain un gros lot exceptionnel, ce qui rend tous les autres plus fébriles et certains agressifs. Peu de joueurs se réjouissent pour le vainqueur.

Les personnes souffrant d'addiction ont souvent un comportement étrange. Il est triste d'entendre les joueurs s'adresser à la machine en des termes violents lorsqu'elle ne paie pas. Certains l'injurient, comme ils le font sans doute avec leurs proches, d'autres croient contrôler les séquences en effleurant l'écran ou en tentant de retenir les icônes qui défilent de gauche à droite, d'autres encore installent un grigri sur le clavier numérique ou s'acharnent en vain à piocher sur les touches. Le spectacle est parfois pitoyable, surtout lorsqu'une vieille dame cherche inutilement dans son sac à main un dernier billet de banque. Aussitôt joué, aussitôt perdu. Les guichets automatiques, disposés dans tout casino, sont un des lieux les plus affligeants à observer. Combien de joueurs, l'air inquiet et parfois hagard, introduisent leur carte de débit ou de crédit pour découvrir, bien affichés sur l'écran, les mots «fonds insuffisants»? C'est autour de ces guichets que s'observent les drames des joueurs compulsifs, ou tout simplement trop démunis financièrement pour s'adonner à cette activité, où l'on perdra toujours plus que les gains engrangés, les seuls que la mémoire retiendra.

Certains joueurs se comportent avec une discrétion qui retient l'attention. Ils semblent vouloir disparaître, ou du moins devenir invisibles. Ces derniers ne jouent que dans les coins les plus reculés du casino, là où peu de gens circulent. J'en ai observé à de nombreuses occasions, tellement leur comportement est singulier. Souvent, ce sont des personnes qui vont rester des heures devant la même machine, incapable de s'en détacher, sans aucun doute totalement sous son emprise.

On pourrait raconter tellement d'anecdotes sur les manies des joueurs, la façon déconcertante dont ils traitent les machines, leur fixation sur certains jeux, auxquels ils reviennent en dépit de tout bon sens puisqu'ils ne provoquent chez eux que la frustration de perdre encore et encore, jusqu'au miracle qui, comme tous les miracles, relève de l'exception aléatoire.

Chapitre 14

LE JEU ET LA SOLITUDE

Parmi les centaines de témoignages que j'ai recueillis chez les joueurs qui se rendent plus ou moins régulièrement dans les casinos, la solitude est un thème récurrent. C'est certainement une des raisons majeures qui expliquent l'attrait irrépressible du jeu chez les personnes âgées et les jeunes retraités. Ces derniers, en particulier, découvrent après quelques mois hors du marché du travail que l'inaction leur est insupportable. Dans ces circonstances, le casino peut devenir leur refuge.

Dans tous les casinos que j'ai fréquentés à travers le monde, cela se vérifie. Durant la journée, les personnes âgées sont largement majoritaires parmi les joueurs. Elles y viennent en couple, entre amis mais souvent seules. J'ai croisé plusieurs fois à Montréal une vieille dame bien mise, à l'évidence une joueuse non seulement régulière mais qui jouait gros, et qui m'a expliqué qu'elle se sentait renaître dans ces lieux où l'atmosphère était «énervante à souhait», selon son expression. «Ça m'excite et ça me calme en même temps», a-t-elle ajouté. Veuve depuis quelques années, coupée de sa famille éparpillée à travers le Canada et les États-Unis, où habitent également ses deux filles, elle a découvert le casino grâce à une amie décédée depuis. «En entrant ici, j'ai toujours une petite pensée pour elle. Fais-moi gagner, que je lui dis. Mais je ne suis pas folle, j'sais bien que c'est le pur hasard.» Après avoir vaqué à ses obligations du matin, l'ennui s'empare d'elle. «C'est toujours vers 11 heures, me dit-elle. J'ai la tentation de m'étendre avec un livre, mais je sais que je vais m'endormir dessus. C'est inévitable.» Cette octogénaire fringante ne supporte pas ce vide qui l'habite et qu'elle n'avait jamais vraiment éprouvé avant la disparition de son mari. «C'était un homme qui me surprenait tout le temps», me dit-elle avec un sourire empreint de nostalgie.

De plus, en rentrant chez elle après une journée passée au casino, l'idée qu'elle pourra y retourner dès qu'elle ne tolérera plus d'être seule de nouveau la réconforte. Cette dame se sait en danger d'addiction, mais sa situation financière et le décompte du temps vers l'inéluctable chassent en elle une prudence dont elle n'a que faire. La télévision, la lecture et même Internet ont des effets somnifères sur elle. En fait, sa solitude se confond avec un sentiment d'abandon. Elle trouve au casino, au milieu du bruit, de la présence humaine et de l'adrénaline ambiante, une façon d'oublier. Est-elle encore en vie? Lorsque j'entre au Casino de Montréal, il m'arrive de la chercher des yeux. Elle s'était confiée sans réticence, avec une légèreté qui masquait une terrible angoisse que les machines à sous engourdissaient durant quelques heures.

«On s'ennuie.» Combien de fois ai-je entendu cette plainte lancinante chez les joueurs? L'époque agitée qui est la nôtre ne favorise guère les tête-à-tête avec soi-même. Cela commence dès le plus jeune âge, avec l'enfant que l'on n'a de cesse de soumettre à des stimulations extérieures. Les lieux réservés aux enfants sont à l'image des préoccupations des adultes. L'enfant, pour se développer, assure-t-on, doit être encadré et distrait à tout moment. On s'inquiète d'un enfant trop calme. À huit ans, les jeunes sont soumis à des horaires d'adultes débordés par le travail. Entre l'école, l'ordinateur, les téléphones intelligents, les cours de musique, de danse, la pratique de sports divers et les activités culturelles, les enfants vivent comme des gestionnaires de leur journée que 24 heures ne suffisent pas à combler. Aux yeux de trop d'adultes, s'inspirant de leurs propres modèles, un enfant ne doit pas être laissé à lui-même. Tous sont condamnés à vivre dans l'«occupationnel», pour utiliser le jargon actuel.

Dès qu'il y a un temps d'arrêt, l'enfant comme l'adulte se précipite sur son portable ou sa tablette. L'éducation au silence et à la solitude, c'est-à-dire le temps en soi, pour soi, a disparu. Dans pareil contexte, comment apprend-on à apprivoiser la solitude, cette fatalité qui pousse nombre de gens vers les casinos et les jeux de hasard en général ?

Et doit-on se surprendre que tant de travailleurs prématurément retraités finissent par avouer l'ennui qui leur ronge les sangs ? Leur nombre dans les casinos témoigne de ce phénomène. Comme les retraités qui se transforment en accros du golf et qui n'ont de vie que sur les terrains de 18 trous, où ils frappent des balles comme d'autres lancent des appels au secours. La multiplication des casinos et l'engouement pour les lotos, jeux en ligne et gageures en tous genres ne sont qu'une manifestation d'une tentative de se libérer de cette peur de disparaître, de mourir qui apparaît déjà à la fin de la cinquantaine.

La solitude est aussi une conséquence de la désorganisation familiale et sociale. Où sont les lieux qui ont remplacé les parvis d'église d'antan ? Et les centres commerciaux d'il y a 20 ou

30 ans? L'excitation n'est pas ici au rendez-vous, ni un certain sentiment de transgression qu'on éprouve dans les maisons de jeu, il faut en convenir. Quant aux réunions familiales, qui ont tendance à s'espacer avec la mort des parents, elles sont à la merci d'une autre réalité actuelle, celle des ruptures à l'intérieur des fratries, ainsi que des séparations et des divorces. Dans cette perspective, de plus en plus de gens se retrouvent seuls, car les «amis» Facebook ne sont rien d'autre qu'une invention moderne avant tout virtuelle.

De nos jours, nous sommes à la recherche non plus du temps perdu, pour citer Marcel Proust, mais du temps à ne pas perdre. Et à tout âge désormais, ce sentiment s'exprime jusqu'à l'obsession pour plusieurs. S'ajoute également une volonté découlant de l'individualisme, celle de ne plus se sacrifier pour les proches. «On s'est privés toute notre vie, m'a confié un couple de sexagénaires qui jouaient tour à tour à la même machine. Notre famille est élevée, on a payé pour les études de nos deux garçons et on vit bien.» Le couple s'offre donc un voyage annuel à Las Vegas et se réserve un budget pour jouer. «Pas trop, pas en fou, juste pour se désennuyer. On sait qu'on gagnera pas des millions et on est raisonnables», m'a assuré la femme. «Je fais attention pour toi, a précisé le mari, qui m'a soufflé à l'oreille: Mon épouse aime un peu trop ça. Il faut que je réussisse à la convaincre d'espacer les visites.»

L'époque est à l'agitation, à la communication instantanée, à l'information continue, à la distraction systématique. Les enfants hyperactifs, ceux qui ont des troubles d'attention et de concentration sont souvent incapables de rester assis pendant un moment sur une chaise, seuls, sans intervention extérieure.

J'appartiens à une génération où il était normal de s'ennuyer. Je passais des heures, assise sur les marches de l'escalier de la maison, à regarder les gens qui déambulaient le long des trottoirs. J'apprenais à observer, à écouter et avant tout à faire vagabonder mon esprit. Pour les jeunes d'aujourd'hui, tout arrêt, tout silence est synonyme d'ennui. «C'est plate», répètent en chœur les jeunes adeptes des jeux vidéo lorsque les parents osent leur retirer ce biberon électronique.

Dans un casino, j'avoue que les personnes seules, accrochées à leur machine, dont je sens qu'elles ont perdu le contrôle, me perturbent, au point où les observer me dérange. Ces joueurs offrent un spectacle désolant. Mais il y a pire à mes yeux. Ce sont des jeunes, souvent des garçons d'une vingtaine d'années qui, en plein après-midi, se retrouvent vissés devant une machine. Ils dégagent de l'agressivité et de la combativité dans leur manière de jouer. J'en ai observé dans nombre de casinos. Eux n'ont pas de temps à perdre. Ils viennent au casino pour gagner et les temps morts, c'est-à-dire les mises sans retour d'argent, leur sont intolérables. L'ennui surgit après quelques minutes et souvent ils abandonnent le jeu, non sans avoir frappé la machine en l'injuriant, afin de reporter leur espoir sur la suivante, à laquelle ils feront subir le même sort. Je me suis souvent interrogée sur ces jeunes désœuvrés. De quoi se nourrit leur ennui pour qu'ils viennent s'enfermer en plein jour dans un casino, entourés de gens de l'âge de leurs grands-parents ?

La vie actuelle isole les gens, qui meurent souvent seuls ou du moins coupés de leurs proches. Les jeunes craignent la solitude, qui est pour eux le contraire de l'action. À preuve, ils sont incapables de se débrancher des casques d'écoute accrochés à leur tête. Toutes les distractions sont préférables à la méditation. Et les jeux de hasard, s'ils sont disponibles, procurent des excitations d'autant plus puissantes qu'elles sont liées à l'argent. De l'argent vite gagné et qui peut changer leur vie, croient-ils.

Il n'en demeure pas moins qu'il y a un paradoxe total à tenter de fuir la solitude dans un casino où tant de joueurs sont enfermés dans une bulle qui empêche toute communication avec autrui.

Chapitre 15

LE CASINO COMME REFUGE

Il m'est arrivé d'entrer dans des casinos par curiosité avant tout. Je me souviens d'un casino, au milieu du désert de l'Arizona, sur des territoires amérindiens, qui vu de la route au loin ressemblait à un temple protestant. Ma surprise a été de taille lorsque, arrivée sur les lieux, j'ai découvert des centaines de voitures dans le stationnement qui entourait l'énorme construction en bois. À l'intérieur régnait une atmosphère de saloon digne des films des années 1950. Je n'aurais pas aimé croiser à l'extérieur certains de ces joueurs que je devinais armés, dans cet État où le port d'armes est légal. Dans le casino, je ne risquais rien. J'y suis restée moins d'une demi-heure parce que la fumée des cigarettes et des cigares m'était insupportable et que j'avais réussi, après avoir misé deux ou trois dollars, à décrocher un jackpot de 200 dollars, l'équivalent de 700 ou 800 dollars aujourd'hui.

J'ai retrouvé ce genre de casino au milieu de la Floride, où nous nous sommes arrêtés un soir il y a quelques années, mon mari et moi, en route vers la côte Atlantique. Mais la clientèle était peu rassurante. Fait rare dans un casino, plusieurs joueurs étaient ivres et les agents de sécurité avaient tous des gueules de voyous. Mon mari n'a pris que le temps de manger un hot dog surdimensionné de dix centimètres de long, la spécialité locale, et nous sommes repartis non sans jeter un regard plus ou moins rassuré derrière nous. Voilà le seul frisson que ce casino m'a procuré.

Fréquenter les casinos m'a permis de constater que des gens qu'on croit connaître s'adonnent au jeu sans trop l'avouer. J'y ai croisé, au cours des années, des gens de tous les milieux sociaux. À Nice, par exemple, durant un Salon du livre, j'ai été surprise de découvrir le grand nombre d'écrivains qui, le soir, se rendaient dans les deux casinos de la ville pour jouer aux tables, surtout, mais aussi dans les machines, peu nombreuses dans les casinos français. Ces joueurs étaient, à l'évidence, des habitués.

J'ignorais qu'en allant dans les casinos pour rencontrer des joueurs dont le témoignage allait être essentiel à ma compréhension du phénomène, j'allais moi-même vivre une expérience intense et risquée. Pour discuter avec les joueurs, il y a un avantage à jouer à côté d'eux. C'est ainsi que j'ai fait la rencontre de deux merveilleux compagnons de jeu, qui sont devenus mes amis. Grâce à leurs témoignages, j'ai pu saisir les diverses expressions de l'addiction et les mécanismes du plaisir de jouer.

Pour la majorité des gens qui abhorrent le jeu et les casinos, ces lieux semblent déprimants, voire choquants. Le jugement qu'ils portent sur les joueurs est implacable, dédaigneux et hautain. De là cette discrétion des joueurs face à leur entourage. Ces derniers vont donc plus spontanément parler de leur passion à des gens qui, comme eux, s'adonnent au jeu. Les seuls joueurs qui consentent à témoigner publiquement sont des compulsifs qui, après avoir dilapidé des fortunes, ont dû être pris en charge par des psychiatres ou des psychologues et se sont fait interdire l'entrée au casino. Cependant, dans ce dernier cas de figure, cela ne les empêche pas de jouer en ligne où il suffit d'un simple clic et d'une carte de crédit pour se retrouver dans une zone virtuelle aux choix illimités, où il est facile de se laisser aller, et ce, sans témoin aucun.

Ce voyage au cœur des casinos où j'ai joué, gagné quelques sommes substantielles, où j'ai aussi perdu, mais surtout, où j'ai découvert une excitation singulière, dense et désirable, m'a permis de comprendre à quel point le chemin qui mène à l'addiction est glissant. À l'évidence, l'attrait du jeu n'est pas que la recherche de la distraction et du plaisir à peine culpabilisant, car plusieurs trouvent immoral de dépenser de l'argent acquis par le travail pour poursuivre la chimère de décrocher le gros lot. Les jeux d'argent sont aussi perçus comme une désacralisation symbolique mais concrète de ce dieu devant lequel, depuis la nuit des temps, l'homme s'incline, perd son âme, croit trouver son bonheur, se révolte ou affiche sa moquerie. Car personne ne peut prétendre être indifférent face à l'argent, sauf quelques mystiques ayant abandonné les biens matériels et qui se sont réfugiés dans une spiritualité qui les nourrit et les anime, et des sages qui usent de l'argent qu'ils ont gagné pour le redistribuer dans des élans de générosité.

On peut s'interroger. Pourquoi les gens qui considèrent que les jeux d'argent sont moralement inacceptables sont-ils les mêmes qui croient que les joueurs sont inévitablement voués à tomber dans l'addiction ? Cela, malgré les statistiques qui affirment le contraire. Ce que l'on constate, cependant, c'est une légère augmentation du nombre de joueurs compulsifs par rapport aux alcooliques qui, eux, représentent environ 1,5 à 3 % des consommateurs d'alcool, selon les études récentes.

Ma fréquentation régulière des casinos m'a permis de mieux comprendre l'attrait des lieux pour tant de personnes, dont des gens seuls dans une proportion surprenante, qui n'avaient jamais mis les pieds dans des maisons de jeu avant un âge avancé. À quelques exceptions près, les joueurs affirment ne pas avoir peur de devenir compulsifs, ce qui, évidemment, ne signifie pas qu'ils y échapperont. En général, les joueurs occasionnels disposent d'un budget qu'ils se fixent et qu'ils ne dépassent guère. «C'est difficile de décider de quitter les lieux quand on a atteint notre limite», m'a un jour expliqué un homme charmant. Il avait eu l'imprudence, quelques semaines auparavant, de jouer en rafale une mise très élevée dans la machine qui lui avait rapporté un jackpot de 7000 dollars. Le jour de notre rencontre, hélas, installé à mes côtés, il avait beaucoup perdu en une demi-heure environ. «C'est frustrant, me dit-il, mais je sais que je veux revenir. Donc, je dois être raisonnable.» Il m'a regardée jouer quelques minutes, puis il a pris congé. «C'est trop tentant. Il faut que je parte. La prochaine fois je me contrôlerai davantage. Vaut mieux jouer moins et plus longtemps. C'est ça le plaisir.» Cet homme m'a semblé très représentatif de la majorité des joueurs que j'ai croisés.

J'ai également conversé avec des personnes, à l'évidence en perte de contrôle devant leurs machines, et qui l'admettaient volontiers. Ce sont surtout des femmes qui m'ont raconté leurs déboires au jeu. La plupart d'entre elles semblaient avoir été inconscientes, à leurs débuts en tant que joueuses, du danger qui les guettait. Et surtout, leurs premières expériences avaient été déterminantes, car elles avaient gagné des montants importants. Une vieille dame à l'allure très moderne – cheveux courts décoiffés, pantalon de cuir chic et cher, blouson de marque – est venue s'installer à mes côtés dans le casino de l'hôtel Wynn à Las Vegas, un soir. Spontanément, elle s'est adressée à moi. «Vous gagnez?» m'a-t-elle demandé. «Je ne perds ni ne gagne», ai-je répondu. Elle a misé le maximum de la machine, c'est-à-dire cinq dollars. En misant de la sorte, les pertes sont très rapides. En moins de dix minutes, la machine lui avait soutiré 100 dollars, ce qui ne semblait guère la contrarier. Elle m'a expliqué que son expérience lui avait appris que cette machine, dont elle était une habituée et pour laquelle elle ressentait des choses («*I feel it*», me disait-elle), lui avait permis de décrocher un super gros lot d'un montant de 18 400 dollars un mois auparavant. «Je sais qu'elle va recommencer, qu'elle va en donner un autre et je veux que ce soit à moi.» Lorsque je me suis retirée, en lui souhaitant la meilleure des chances, elle avait déjà investi 600 dollars et les quelques gains qu'elle avait retirés étaient insignifiants. «Dommage que vous partiez si vite, vous allez rater le moment où mon jackpot va faire éclater l'écran.» Je ne doutais guère que ce jackpot, si elle le remportait à l'avenir, représenterait plus ou moins la somme qu'elle avait eu la chance de gagner, mais le malheur de rejouer et de perdre. Telle est la vie des joueurs flambeurs.

La plupart des habitués des casinos ont tendance, pour des raisons de proximité, à jouer toujours dans le même lieu, ce qui à mes yeux représente le comble de l'ennui. À vrai dire, l'excitation de découvrir de nouveaux casinos, avec de nouveaux jeux dernier cri, est associée à l'acte même de jouer. Une nouvelle machine représente, pour nombre de joueurs occasionnels, une inconnue. Au Casino de Montréal, le choix des jeux est relativement limité et les nouvelles machines sophistiquées sur le plan tech-nologique sont quasi inexistantes et peu nombreuses. Les joueurs ont tendance à rester vissés devant celles-ci des heures durant, comme si ces inconnues pouvaient, parce que nouvelles, leur faire gagner le gros lot. Ce qui bien sûr ne se produit guère. Chaque nouvelle machine qui apparaît suscite le même intérêt, jusqu'à ce qu'elle déçoive et soit abandonnée pour une plus désirable.

À travers le monde, j'ai trouvé des machines diverses qui attirent comme un aimant une certaine catégorie de joueurs. L'une d'entre elles, nommée Wolf Run, semble avoir des adeptes aussi bien à Singapour qu'à Las Vegas, St-Malo, Montréal ou Johannesburg. Ses loups hurlants qui surgissent annoncent des gains qui peuvent être importants, selon la configuration des animaux sur l'écran. J'ai constaté la grande popularité de ce jeu partout, mais aussi que ses adeptes en deviennent facilement accros, au point de s'installer exclusivement sur ces machines. Ce qui démontre bien que la routine ne déplaît pas, au contraire. «Je connais ma machine, je l'ai adoptée depuis des années, m'a déclaré un joueur américain. Avec mes loups, si je suis patient, j'arrive toujours à gagner de bons montants. On dirait que la machine sait que je lui suis fidèle et que je vais les lui remettre. À long terme, on est plus ou moins à égalité *(We are more or less even in the long run)*», a-t-il conclu en éclatant de rire.

Ce voyage dans les casinos m'a aussi appris que les manières de jouer, si différentes soient-elles d'un joueur à l'autre, se re-trouvent partout, quel que soit le pays. Tous les joueurs par-tagent une même culture, définie non seulement par l'attrait du jeu, mais aussi par les thèmes et les technologies des machines, lesquels sont imposés par cette puissante industrie qui domine la planète. Si les habitudes de conduite automobile divergent selon les lois et les critères de sécurité des pays, les casinos ne se distinguent les uns des autres que par l'atmosphère qui y règne et le luxe des lieux. Il y a donc des casinos miteux et des temples modernes et rutilants qui sont des lieux d'excitation diversifiés grâce au jeu et à la qualité des restaurants et des bars. Mais le jeu y est fondamentalement le même, de même que l'émotion qui y est rattachée.

Chapitre 16

LES MANIÈRES DE JOUER

Les comportements des joueurs dans un casino divergent selon les jeux. Aux tables, la façon de se comporter relève d'une dynamique particulière, puisqu'il existe une interaction entre les joueurs et avec le croupier. Ce qui entraîne une obligation de tenir compte de l'entourage, des réactions des uns et des autres, de l'habileté de certains, de l'agressivité retenue de quelques habitués, de l'hésitation des novices ; bref, autour des tables certains codes et rituels s'imposent. Mais c'est autour des tables que l'on trouve les joueurs les plus bruyants lorsqu'ils gagnent.

Le joueur de machines à sous, au contraire, est un solitaire. Son rapport à la machine trahit à la fois son expérience, sa compulsion, son tempérament, son plaisir ou son anxiété. Nombre de joueurs de machines contiennent leurs émotions, quel que soit le gain ou la perte. Ce sont les joueurs occasionnels qui manifestent ouvertement leur excitation lorsqu'ils gagnent. Ce sont les mêmes qui gardent une distance face à la machine, dont ils savent pertinemment qu'il ne s'agit que d'un ordinateur. Combien de fois, installée à côté de joueurs qui, à mon grand énervement, balayaient l'écran avec leur main ou avec des porte-bonheur – les poils de leur chien ou la photo de leur perruche, par exemple – pour freiner le mouvement des icônes qui défilaient, ai-je tenté de leur expliquer qu'il ne sert à rien d'essayer d'arrêter la machine en effleurant l'écran de gauche à droite, de bas en haut ou selon un rite relevant de la magie. «Il y a une façon de toucher l'écran qui augmente la chance d'obtenir les trois bonis, m'a assuré une femme, agacée par ma remarque. C'est pas parce que vous n'y croyez pas que ma méthode n'est pas bonne», a-t-elle ajouté sèchement pour mettre un terme à notre échange.

Des personnes d'allure disons raisonnable tiennent des propos débridés sur «leur» machine. Elles font corps avec elle, peuvent la caresser doucement et s'adresser à elle, en général sans brusquerie, comme si cet ordinateur enveloppé d'une carrosserie aussi clinquante que lumineuse et turbulente pouvait être séduit. En ce sens, le casino est un lieu privilégié pour ceux qui s'intéressent à l'anthropomorphisme, c'est-à-dire à l'attribution de qualités humaines aux objets ou aux animaux.

À Macao, j'ai vu des joueurs qui frottaient la machine avec un tissu avant de déclencher chaque mise. Dans un casino, au Québec, j'ai été estomaquée de voir une femme d'un certain âge qui balayait, en quelque sorte, l'écran, en dessinant un X avec une mèche de cheveux qui, m'a-t-elle précisé, appartenait à sa petite-fille. «Quand je joue avec ma mèche, j'ai toujours plus de chances de gagner», m'a-t-elle dit. «Pourquoi ne l'utilisez-vous pas toujours?» lui ai-je demandé. «Faut pas trop tenter sa chance, m'a-t-elle répondu, ça pourrait ne plus fonctionner.»

Durant un Salon du livre en France, j'ai rencontré un écrivain qui m'a invitée à l'accompagner dans le casino local. Joueur compulsif, à l'évidence, il m'a confié qu'à travers la France, qu'il parcourait à longueur d'année, il jouait sur une seule machine dont le jeu reposait sur des chiffres. Cette machine est reliée à l'ensemble des machines identiques, que l'on trouve dans les casinos du Groupe Partouche, un des groupes français propriétaires de maisons de jeu. Le super jackpot, baptisé Mégapot par son propriétaire Patrick Partouche, peut rapporter si l'on y joue, au maximum de la mise, des sommes pharaoniques. En 2015, des montants de 500 000 et 778 000 euros ont été décrochés par des joueurs. Ce confrère croit dur comme fer que cette machine saura un jour le récompenser de sa fidélité. Le soir où nous avons joué ensemble et où je me suis abstenue de miser le maximum, qui équivalait à six dollars à chaque clic, j'ai assisté au spectacle d'un homme en transe. J'ai donc quitté les lieux assez rapidement et le lendemain matin, lorsque je l'ai retrouvé au kiosque de signature de nos ouvrages respectifs, il m'a avoué avoir passé la nuit devant «sa» machine, qu'il «sent si bien».

Même si les joueurs compulsifs ne représentent que 3,5 % des joueurs, la majorité ont du mal à ne pas réagir lorsqu'ils touchent la machine. La plupart croient à la chance, aux ondes positives, à l'affinité avec certains thèmes comme les loups la tête levée vers la lune, les poissons qui mordent à des hameçons valant jusqu'à 1000 dollars, les fées dont la baguette, en frôlant les images, les transforment en frimes, les buffles qui frappent le sol, ce qui fait vibrer le siège sur lequel le joueur est assis, les paons qui déploient leur queue, couvrant presque tout l'écran, ce qui rapporte un bon lot; bref, la pensée magique habite nombre de joueurs.

Devant les machines, même la personne la plus rationnelle s'évade d'elle-même. En ce sens, la machine hypnotise, anesthésie, berce et bien sûr provoque des montées d'adrénaline semblables à celles du joggeur, du cycliste et de tout autre adepte d'activités qui provoquent la production de dopamine. Les nombreuses personnes qui s'attachent à une machine en particulier sont portées à croire qu'elle finira toujours par leur donner un gros lot. Ce qui n'est pas faux, car dans le meilleur des cas, le joueur finira par retrouver plus ou moins la somme qu'il y a investie. Mais la plupart du temps, il sortira perdant des heures qu'il passera à attendre en vain les parties gratuites, que tous recherchent avec l'espoir qu'elles permettent d'accumuler un lot intéressant, et un gros lot aléatoire qui surgit sur l'écran, sans lien avec le jeu en cours. Plusieurs machines indiquent ces gros lots potentiels au-dessus de l'écran, attirant ainsi les joueurs vers elles. Or, ces gains aléatoires surviennent aussi souvent que les tremblements de terre dans des zones qui ne sont pas à risque.

C'est surtout parmi les personnes âgées que l'on trouve le plus grand nombre de joueurs sédentaires, si l'on peut les désigner ainsi. Ce sont des personnes qui ont des problèmes de mobilité, que la fatigue empêche de circuler constamment et dont on dit que certaines portent des couches pour éviter de se rendre aux toilettes, ce qui les obligerait à trop marcher. Cette description de gens en couches provoque souvent des commentaires dégoûtés de la part de ceux qui jugent ces vieux avec une dureté qui choque. Comme si ces derniers devaient s'abstenir d'aller au casino alors qu'ils y trouvent une manière, certes pas idéale mais réelle cependant, de se désennuyer. De disposer aussi de leur argent à leur guise, car nous avons ici affaire à des gens qui ne sont ni séniles, ni sous tutelle. On peut regretter que le jeu ne soit pas une activité hautement culturelle, mais la liberté individuelle demeure une valeur incontestable de nos sociétés démocratiques. Et dans ce contexte, nul ne doit tenter d'imposer sa morale au nom d'un douteux concept de protection des faibles. Cette forme de paternalisme apparaît intolérable.

Dans la pratique, la plupart des joueurs ont tendance à circuler dans le casino, c'est-à-dire à changer de machine régulièrement afin de déjouer le hasard. Mais les nouvelles générations de machines que l'on trouve aux États-Unis et en Asie dans les casinos d'envergure sont conçues, on l'a vu, pour retenir le joueur le plus longtemps possible devant le jeu. Plusieurs joueurs se satisfont de gagner régulièrement de petits montants, qu'ils s'empressent de rejouer, d'ailleurs, plutôt que d'attendre sur une machine plus avare de lots un jackpot indécrochable. Ces adeptes jouent souvent le minimum requis par la machine, moins d'un dollar, dans tous les cas de figure, et peuvent parfois demeurer des heures à jouer et perdre modérément.

Certains joueurs supportent mal qu'on les observe. «Qu'est-ce que vous voulez?» m'ont souvent demandé sèchement des personnes qui avaient attiré mon attention par leur intensité au jeu. Leur comportement, une façon par exemple de jeter constamment des regards à droite ou à gauche pour s'assurer que personne ne les regarde, ressemble à celui du prédateur à la recherche de sa proie. Or, faut-il le rappeler, le casino est un endroit public, pas une maison close, mais il faut croire que certains habitués aiment avoir l'impression de commettre un acte de délinquance, ce qui expliquerait aussi que peu de joueurs expriment leur plaisir lorsqu'ils décrochent d'importants gros lots. Pour ne pas susciter l'envie, probablement, mais avant tout pour garder pour eux cette poussée d'adrénaline se comparant à l'orgasme.

Chaque mise est un espoir de gagner. Pour plusieurs, elle est vécue comme un instant oscillant entre désir et déception. C'est pourquoi le jeu, lorsqu'il dure trop longtemps ou qu'on s'y investit trop nerveusement, épuise et déprime, en cas de pertes importantes, lesquelles sont relatives. Chacun les définit selon ses moyens financiers et sans doute son degré d'investissement affectif dans le jeu. Les joueurs qui ne cessent de se battre, en quelque sorte, contre la machine en tentant de stopper le jeu ou de l'influencer par une gestuelle parfois très complexe comme des touchers, des caresses et des coups sur les icônes qui défilent sont sans doute davantage à risque de succomber à l'addiction. La notion de plaisir a disparu et leur seul objectif est de gagner, de gagner gros. À l'évidence, la machine, un ordinateur rappelons-le, contient leurs fantasmes, ceux de changer de vie, sans doute, d'accéder à l'inatteignable ou d'apaiser leurs douleurs. Car de joueurs malheureux, les casinos sont remplis.

Chapitre 17

DES RECETTES POUR GAGNER?

Qui perd gagne. Cette expression s'applique au jeu, car il faut parfois perdre une somme relativement importante dans une machine avant de gagner. Mais il n'y a pas de recette pour gagner dans les machines à sous, ces ordinateurs programmés et soumis à la loi du hasard. Le joueur qui ignore le rôle des algorithmes a tendance à expliquer ses gains ou ses pertes par ses qualités ou son bon karma. Or, jouer sur une machine ne demande aucune qualification particulière, aucun instinct. Il faut seulement lire les chiffres et miser en sachant multiplier.

Cependant, pour augmenter les chances de gagner des jackpots élevés, il faut jouer le maximum indiqué sur chaque machine, ce qui est loin d'être à la portée de la très grande majorité des joueurs. Par contre, les gains aléatoires qui caractérisent certaines machines peuvent être remportés avec une mise minimale. Un jour, dans un casino des Caraïbes, j'ai vu une jeune fille assise à mes côtés remporter un montant de 2500 dollars avec une mise de 40 cents. C'est donc possible, car si tous les jackpots n'étaient réservés qu'aux joueurs de hautes mises, les casinos seraient déserts.

J'ai expérimenté toutes les façons de jouer, en excluant cependant les très hautes mises, qui dépouillent en dix minutes.

Pour faire un test, en quelque sorte, il m'est arrivé de mettre 200 dollars dans une machine en misant cinq dollars à chaque coup. Il m'a fallu attendre de perdre 185 dollars avant que le jeu boni, obtenu par l'apparition de trois icônes placées dans les trois premières rangées du jeu, m'accorde dix parties gratuites. Comme il ne m'arrive jamais de jouer un montant si élevé, j'ai cru que mon heure de chance avait sonné et j'anticipais des gains à faire monter ma tension artérielle. Or, ces dix parties ne m'ont rapporté à la fin que 165 dollars, une somme inférieure à celle que j'avais investie. Ma frustration à son comble, j'ai quitté les lieux rapidement tout en me reprochant mon aveuglement.

Il est donc illusoire de croire que plus on mise, plus on gagne. Il faut avant tout comprendre qu'en jouant au maximum de la machine, on a statistiquement plus de chances de perdre énormément d'argent, car les jackpots très élevés sont très rares.

Tous les joueurs ont tendance à ne parler que de leurs gains. Seuls ceux qui ont plongé dans le gouffre par compulsion racontent volontiers leur descente vers la ruine financière. Récemment, quelques génies informatiques – des escrocs – ont réussi à piéger des machines à sous de Las Vegas en en prenant le contrôle au moyen de puces de leur invention, mais leur chance n'a pas duré et ils ont fini par être arrêtés et condamnés à la prison. Il n'existe donc pas de façon de contrôler la machine, et à vrai dire, c'est plutôt le joueur qui doit maîtriser sa manière de jouer.

Pour éviter les pertes, il ne faut pas s'acharner sur une machine comme le font tant de gens qui croient, dur comme fer, qu'elle va finir par cracher LE gros lot. Je suis demeurée près d'une heure à observer un homme qui engloutissait à coups de

2,50 dollars la mise des centaines de dollars, pour ne retirer que des montants insignifiants. Après une demi-heure, il était évident que ce joueur hypertendu allait continuer de nourrir le monstre sans être capable, c'était palpable, de l'abandonner. Après l'avoir longtemps observé, tout en demeurant à l'écart pour ne pas l'énerver, je l'ai abandonné à ses chimères.

Je joue par plaisir, mais j'ai aussi joué pour expérimenter les machines. Avec la mise minimale de 25 cents, j'ai pu jouer de longs moments, mais j'avoue que cette façon de faire est lassante. Chacun est à la recherche de sa sensation et cette façon minimaliste de jouer comporte trop peu de risque pour moi. Je n'échappe pas à la règle ; je joue aussi pour contrer l'ennui.

Un certain état d'esprit permet de jouer en mettant les chances de son côté, ce que font les joueurs raisonnables. Ceux-ci ne sont pas dupes. Ils fréquentent les casinos pour le plaisir et n'accordent aucune vertu particulière à la machine. Ils savent qu'ils sont face à un ordinateur, mais cela ne veut pas dire qu'ils n'espèrent pas décrocher un jackpot. Ils renoncent simplement à miser au-delà de leur capacité financière dans l'espoir de le décrocher. Leur prudence se vérifie dans leur façon de jouer. Ils n'ont aucune fidélité pour un jeu en particulier et ils se promènent dans les salles en jouant à gauche ou à droite. Ils ne s'attardent jamais longtemps devant une machine où rien ne se passe.

Les joueurs plus ambitieux prennent des risques calculés. C'est sans doute mon cas. Je joue selon la loi du hasard et des statistiques à la fois. D'abord, j'évite de jouer sur des machines dont je sais, par expérience, qu'elles ne sont que des gobe-sous ne permettant jamais de remporter des jackpots impressionnants.

Les dernières années m'ont permis de vérifier qu'il existe des jeux où il est impossible de gagner plus d'une centaine de dollars, quelle que soit la mise. Par contre, lorsque je m'installe devant une machine, je mise à cinq ou six reprises le montant maximal indiqué sur le clavier. Ainsi, j'ai été plusieurs fois à même de constater que les chances de décrocher des montants importants, 400, 500 ou 600 dollars, étaient plus grandes durant ces premières minutes. Et je choisis un type de machine où la majorité des joueurs ont tendance à miser le minimum. Si rien ne se passe, je baisse ma mise de 2 dollars à 1,50, voire 1 dollar par exemple, et il arrive relativement souvent alors que la machine s'anime et me permette de gagner une somme dont je peux disposer pour jouer ou, si elle est très élevée, qui m'oblige à quitter le casino, car avec le plaisir aigu de gagner, le désir de faire perdurer cet état euphorisant augmente. Par expérience, je sais qu'il faut alors s'extraire du casino, sans quoi on engloutit son gain.

Les montants les plus élevés que j'ai remportés ont été déclenchés pour la plupart dans les premières minutes de jeu avec une mise entre 1,50 et 3,50 dollars. Mes quelques incursions avec des mises plus élevées m'ont permis de décrocher parfois des lots, mais jamais aussi élevés. Je suppose que la chance ne me souriait pas ou qu'il eût fallu que j'investisse des centaines de dollars avant de réussir à faire sauter la machine. Or, mon plaisir se transformerait en une insupportable tension si je jouais en flambeur.

Lorsqu'on gagne un gros lot, il est impératif de quitter rapidement le casino, on ne le répétera jamais assez ; un jackpot nous plonge dans une ivresse peu favorable au contrôle de soi. J'ai eu ma leçon lorsqu'une femme a remporté un jackpot de 12 000 dollars à mes côtés, dans un casino du New Jersey où je m'étais arrêtée en remontant de la Floride au Québec. Après lui avoir exprimé le plaisir que j'éprouvais à assister de si près à cet exploit, je n'ai pu m'empêcher de lui dire très gentiment et en riant qu'il était peut-être temps pour elle de quitter le casino. Elle m'a regardée avec colère et j'ai compris que j'avais eu tort de me mêler de ses affaires. J'ai abandonné mon siège et je me suis éloignée de l'aire de jeu. Après qu'un membre du personnel lui eut rendu son chèque, elle a continué de jouer sur la même machine. Je suis revenue vers elle à plusieurs reprises au cours de l'heure qui a suivi pour l'observer à la dérobée. Lorsque je me suis enfin résolue à m'éloigner définitivement, elle avait remis quelques milliers de dollars dans la machine et ne semblait guère prête à l'abandonner, croyant sans doute qu'elle lui était destinée. Ce comportement ne donne guère envie de jouer, au contraire. J'en ai presque été dégoûtée.

Aussi rationnel que l'on puisse être, il faut constater que lors de certaines visites au casino, la chance semble non seulement sourire, mais qu'elle peut se répéter, comme me l'a résumé un homme jovial et causeur au Casino de Charlevoix: «Y a des jours où la chance nous lâche pas. Mais les jours où elle nous lâche, c'est pour des semaines et même des mois parfois!»

Les joueurs ont tendance à jouer sur une machine de façon déraisonnable lorsqu'ils voient quelqu'un gagner un jackpot sur une machine identique. C'est comme une contagion qui se propage aux autres joueurs moins chanceux. C'est sans doute l'une des raisons pour lesquelles, lors d'un jackpot, les machines dernier cri se transforment en feu d'artifice visuel et sonore, attirant l'attention de tous. Ainsi, le gain exceptionnel d'un joueur attise le désir de tous les autres et alimente leur envie de gagner.

De tout temps, les joueurs ont tenté de trouver les failles permettant de gagner. Avant tout dans les jeux de cartes. Plusieurs films ont raconté l'histoire de ces petits génies mathématiciens capables, grâce à leur mémoire, de contourner les lois du hasard. Dans les machines à sous, à l'exception des brillants escrocs informaticiens de Las Vegas qui ont fini par se retrouver en prison, les joueurs sont totalement à la merci du hasard. Il n'y a donc pas de trucs ou d'astuces pour déjouer l'ordinateur.

La connaissance des différents jeux s'acquiert avec la pratique. C'est pourquoi la majorité des adeptes marquent leurs préférences pour un certain nombre de machines auxquelles ils ont tendance à demeurer fidèles, pour des raisons plus psychologiques que rationnelles. Les joueurs trop sceptiques ou qui cherchent à comprendre les mécanismes par lesquels ils peuvent gagner sont, par définition, des gens qui n'aiment pas jouer et qui sont rarement entrés dans les casinos au cours de leur vie. Les habitués – qui ne sont pas accros – qui y trouvent un plaisir intense, un défoulement, ou pour qui c'est une façon de s'évader n'ignorent rien de la réalité. Ils jouent pour éprouver des sensations fortes, pour provoquer la chance, pour rêver. S'ils avaient l'assurance de gagner, ils se créeraient eux-mêmes des contraintes. En effet, sans le risque de perdre, le plaisir de jouer ne s'explique pas. Croire à des recettes qui permettent de gagner, c'est d'une certaine manière exprimer le fantasme de contrer la mort. Car les jeux de hasard ne sont-ils pas une parodie de la vie et de la mort?

Chapitre 18

LES JEUNES ET LE JEU

À Macao, le Las Vegas surdimensionné de l'Asie, les autorités scolaires, dans l'esprit je suppose des activités culturelles, où l'on amène les écoliers au musée ou au théâtre, font visiter les gigantesques complexes des hôtels-casinos aux enfants, qu'ils transportent dans des autobus scolaires. J'en ai été témoin lors de mon passage. Bien sûr, la visite exclut les aires de jeu réservées aux adultes, mais on peut imaginer le choc, pour de jeunes Chinois, de découvrir le luxe inouï des boutiques haut de gamme, de Hermès à Vuitton et de Chanel à Prada, et des restaurants huppés situés à l'intérieur des complexes hôteliers tels qu'on les trouve à Vegas, dans cette enclave de la Chine communiste capitaliste. Il faut voir la réaction des jeunes, leurs visages rayonnants et incrédules à la vue de tant de richesse, et leurs regards ébahis et curieux devant les aires de jeux ouvertes sur ces arcades commerciales, où ils entendent le bruit incessant des machines à sous. Belle et édifiante initiation au jeu, dont la pratique est inscrite profondément dans la culture asiatique.

Dans les pays occidentaux, de telles activités scolaires ou ludiques seraient impensables. Ce qui ne signifie pas que les enfants sont à l'abri de l'attrait du jeu. Au contraire, les enfants d'aujourd'hui sont initiés dès le plus jeune âge au plaisir des jeux électroniques. Les tablettes, les ordinateurs, les téléphones intelligents n'ont plus de secrets pour eux. Partout, dans l'espace public, on voit des jeunes la tête baissée en train de jouer à des jeux créés pour les distraire, pour développer leurs réflexes et leurs capacités intellectuelles selon la prétention des fabricants, mais qui les isolent de leur entourage et les accrochent au monde virtuel qui défile sur leur écran.

Les fabricants des jeux conçus pour les enfants sont en effet les mêmes qui créent les jeux des machines à sous que l'on trouve dans tous les casinos du monde. Les spécialistes de l'addiction ont déjà sonné l'alarme. Les récentes statistiques sur ce phénomène indiquent qu'il y aurait d'ores et déjà une proportion d'environ 10% de joueurs compulsifs chez les jeunes préadolescents qui s'adonnent au jeu sur les différents supports électroniques.

Dans ces jeux, les jeunes sont en compétition avec eux-mêmes. Ils tentent de dépasser leur propre score pour accéder ainsi à des niveaux de plus en plus difficiles. Il y a donc une nécessité, pour les créateurs de ces jeux, d'introduire des éléments addictifs, afin de placer le joueur dans cet état second que procure la zone virtuelle. D'ailleurs, j'ai rencontré des créateurs informaticiens qui admettent la nécessité de créer aussi l'addiction. «Nous sommes dans une compétition commerciale féroce et si nous voulons relever le défi et vendre nos produits à l'international, on doit s'imposer», m'a dit un jeune concepteur québécois surdoué qui possède sa propre boîte de production et qui venait de décrocher un contrat très lucratif aux États-Unis. Il a admis, avec un sourire gêné, que cela posait évidemment un problème éthique.

Ne peut-on pas soulever l'hypothèse qu'au moment de leur majorité, une proportion importante de ces jeunes adeptes des jeux électroniques pourraient être tentés par les casinos et les jeux en ligne, à la recherche de sensations plus fortes que celles que leur procurent leurs téléphones intelligents ? La possibilité de gagner de l'argent rapidement peut devenir un incitatif d'autant plus puissant qu'il est associé à des poussées d'adrénaline que recherchent tant de jeunes amateurs de sensations extrêmes, que ce soit dans le sport ou ailleurs.

Les jeux d'argent correspondent bien à notre époque, caractérisée par l'agitation, l'impatience et la consommation de produits électroniques toujours plus performants. Dans les casinos, les jeunes ne sont pas dépaysés au milieu du bruit incessant, de la musique tonitruante à certaines heures, de l'alcool – à Las Vegas, les boissons alcoolisées sont offertes gratuitement – et de l'atmosphère électrisante le soir, mais surtout le week-end. Ils viennent évidemment en bandes et manifestent bruyamment s'ils gagnent ou perdent. Il est aussi rare de voir des jeunes s'installer devant une machine et hésiter quant à son fonctionnement. En échangeant avec plusieurs d'entre eux, j'ai été à même de constater que cette quincaillerie n'a aucun secret pour eux, même s'ils sont novices. Ils misent souvent plus que la plupart des habitués plus âgés et manifestent une assurance professionnelle devant la machine.

Ceux qui jouent aux tables, au blackjack ou à la roulette sont moins expansifs, car ils misent des montants encore plus élevés et leur tension est souvent perceptible. On a alors affaire à des jeunes qu'attire véritablement l'appât du gain. Des joueurs qui ne rigolent guère et dont on peut penser qu'ils sont, sinon compulsifs, du moins très impliqués émotivement. On se demande par ailleurs d'où vient cet argent qu'ils jettent sur les tapis verts. Car ils sont souvent à peine majeurs.

Il y a une autre catégorie de jeunes que l'on croise dans les casinos, le jour ceux-là, et dont j'ai pu observer le comportement devant les machines à sous. J'avoue que le spectacle de ces jeunes, des garçons avant tout, est dérangeant. Statistiquement, les joueurs de 18 à 30 ans ne représentent qu'une infime proportion des joueurs – la majorité des joueurs compulsifs ont de 30 à 45 ans. Leurs motivations sont diverses, certes, mais on ne peut s'empêcher d'être perturbé par un tel spectacle. J'ai longuement échangé avec un homme au début de la trentaine au Casino de Charlevoix. Plombier de son métier, il m'a avoué qu'il avait «besoin» de venir plusieurs fois par semaine au casino. «Ça me calme parce que ça me défoule», m'a-t-il dit. Je n'ai pas pu m'empêcher de lui faire remarquer que ces visites, dont j'ai soupçonné qu'elles étaient quasi quotidiennes, nuisaient peut-être à son travail. «Il m'arrive de me poser moi aussi la question a-t-il répondu. Surtout que j'ai commencé à jouer aussi en ligne il y a quelques mois. Mais pas souvent.»

Les jeunes joueurs sont en général encore moins causants que les plus âgés. Et ceux qui consentent à s'exprimer le font avec circonspection. «Vous pensez que je suis un *addict*?» m'a lancé un homme d'une vingtaine d'années clairement irrité par le fait que je l'aie abordé et distrait de son jeu. Ce dernier misait beaucoup d'argent, au maximum de la machine, et j'ai eu le sentiment qu'il ne souhaitait pas qu'on en soit témoin. Bien concentré dans sa bulle, l'excitation qu'il ressentait semblait lui donner le sentiment d'être invisible, ce qui se produit lorsqu'on a laissé tomber toute prudence. C'est ce qui arrive d'ailleurs à certains moments à tous les joueurs, compulsifs ou non.

Les enfants d'aujourd'hui seront, à n'en point douter, plus exposés à l'avenir aux jeux d'argent à cause de leur familiarité, on pourrait même dire de leur intimité avec les supports technologiques et en particulier de leur intérêt de tous les instants pour les jeux électroniques. Cette habitude, devenue quasi pathologique pour un grand nombre et carrément toxique pour une minorité significative, est un terreau favorable à la fabrication prématurée d'un futur joueur. S'ajoute à cela le désir frénétique de posséder tout et dans l'instant, qui caractérise les habitants des pays occidentaux, à l'individualisme triomphant. Les enfants d'aujourd'hui sont le produit de cette vision de la vie. Ils baignent dans un climat qui incite à jouer. Qu'on pense aux jackpots aux montants outranciers, tels ceux de l'Euro Millions, cette loterie transnationale qui couvre neuf pays en Europe, et à la loterie américaine Powerball, qu'on trouve dans 44 États aux États-Unis. Ces deux loteries offrent parfois des jackpots allant jusqu'à 500 millions de dollars aux États-Unis et 500 millions d'euros en Europe.

S'ajoute à ce contexte la sophistication de plus en plus poussé des jeux électroniques pour les téléphones intelligents et les machines à sous dans les casinos. Les concepteurs de ces jeux sont des orfèvres en leur genre. Conseillés par une multitude de spécialistes, dont des psychiatres payés chèrement, ils rendent leur quincaillerie encore plus à même de susciter la dépendance. On connaît déjà l'attirance des jeunes hommes pour le poker, qui est devenu un mode de vie pour certains d'entre eux. Le poker est le jeu le plus désirable aux yeux de ces jeunes, qui espèrent accéder au statut de champion avant d'être transformés en rock stars par les médias. La jeunesse, les jeux et l'argent sont un cocktail au taux exponentiel d'adrénaline, mais dont les effets, une fois dissipés, peuvent avoir des conséquences insoupçonnées. À cause de la nature même des jeux d'argent, ceux qui s'y adonnent doivent avoir les pieds ancrés dans la réalité, ce qui n'est pas le propre des jeunes, dont on pourrait dire qu'ils sont des expérimentateurs enthousiastes des multiples facettes de la vie. Dans ce contexte, les casinos et les jeux d'argent sont pour eux des pièges, car tout gain peut se transformer en perte très rapidement. Hélas, le jeu les enferme dans l'illusion que l'argent se gagne en criant «jackpot».

Chapitre 19

LES VRAIS GAGNANTS

Les gens qui décrochent des lots faramineux dans les casinos ou les loteries sont rarissimes. Et pourtant, ils font envie à des centaines de millions de personnes qui tentent leur chance. J'avoue, pour ma part, que j'achète des billets de loterie aux États-Unis ou en Europe uniquement lorsque le gros lot annoncé est de plus de 100 millions. L'idée folle que l'on puisse être transformé du jour au lendemain en multimillionnaire provoque une excitation singulière. Y penser rend de bonne humeur, mais lorsqu'on découvre qu'on a perdu, on se sent libéré. En effet, la plupart des gens seraient bien incapables d'affronter le séisme que représentent des dizaines de millions qui tombent instantanément dans leur vie. Combien de gagnants de loterie ont plongé dans le drame après avoir décroché des jackpots? D'ailleurs, plusieurs personnes aux revenus modestes dilapident rapidement des lots de cinq ou dix millions. Au Québec, une famille pauvre, celle des Lavigueur, a gagné plus de sept millions et demi de dollars dans les années 1980. Un film a été réalisé sur la dérive de ces gens que rien ne préparait à un pareil choc, et qui se sont très vite retrouvés sans le sou. D'autres gagnants développent des maladies ou meurent dans les années qui suivent ce changement radical dans leur vie.

Mais ces loteries aux gros lots pharaonesques appartiennent à un univers à part. Dans les casinos, les joueurs de hautes mises recherchent les jackpots surdimensionnés. Ils les souhaitent et les espèrent. Mais ils savent au fond d'eux-mêmes qu'ils rejoueront une partie de leurs gains, comme tous les habitués des casinos. Car la recherche du seul plaisir de jouer est plus déterminante que les gains touchés. C'est le constat que l'on fait si l'on joue plus ou moins régulièrement. Les petits lots cumulatifs permettent, avec de la chance, de jouer gratuitement. Un joueur qui consent à perdre 100 ou 200 dollars peut ainsi s'amuser quelques heures avec les retours de la machine.

La règle s'applique à tous les types de joueurs. Gagner, dans ce cas de figure, consiste à repartir du casino avec dans ses poches le montant qu'on avait décidé de jouer. Lorsque je vais au casino, ma limite de jeu est de plus ou moins 300 dollars. Une fois que je l'ai dépassée, je quitte généralement les lieux. Or, si dans la première demi-heure j'ai fait sauter ma propre banque, je me retrouve dans une situation difficile, car la tentation de jouer un montant plus élevé est quasi irrésistible, et ce, parce que mon plaisir et mon excitation reposent non seulement sur le jeu, mais aussi sur le fait d'être à l'intérieur du casino, ce sas de décompression par rapport à la réalité extérieure. Trente minutes de jeu ne peuvent guère rassasier mon envie, et j'avoue qu'il m'arrive plus souvent que je ne le souhaite de persister. Car tout joueur, si impatient qu'il soit, sait pertinemment que les gains peuvent surgir inopinément et qu'il existe un autre plaisir, plus exceptionnel et plus intense que celui de gagner lorsqu'on ne perd pas : c'est celui de regagner quand on a presque tout perdu. Ou plus stimulant encore, si le hasard se fait généreux, d'augmenter de façon conséquente la mise initiale.

Comme tous les joueurs, j'ai vécu cette expérience. À Las Vegas, entre autres, où à la fin d'un séjour, j'avais accumulé une dette d'environ 800 dollars, ce qui me semblait raisonnable puisqu'elle s'étalait sur deux jours où j'avais pu m'en donner à cœur joie. Le dernier soir, vers 23 h, alors que je revenais d'un spectacle du Cirque du Soleil en traversant le casino pour regagner ma chambre, j'ai introduit quelques dollars dans une machine à sous, distraitement à vrai dire, car des amis qui avaient beaucoup perdu plus tôt dans la journée insistaient pour jouer une dernière fois, afin de se «refaire», assuraient-ils.

Je les ai mis en garde, car jouer dans cet état d'esprit mène la plupart du temps à s'enfoncer davantage. Cette mauvaise raison relevant de la frustration est néfaste car le joueur perd à la fois le contrôle et décompense nerveusement. Ce qui l'entraîne souvent à avoir recours à ses cartes de crédit, une opération si accessible sur les planchers de tous les casinos de la terre. Or, ce soir-là, il m'a fallu quelques minutes à peine pour décrocher les fameuses parties gratuites qui m'ont rapporté au final 1960 dollars. Je me suis alors empressée d'aller encaisser mon gain. Non sans gêne face à la mine déconfite de mes amis, incapables de dissimuler leur envie. La nature humaine étant ce qu'elle est, je n'allais pas leur en tenir rigueur.

Tous les joueurs ont la mémoire longue pour parler de leurs gains, mais courte, très courte, lorsqu'il s'agit d'avouer leurs pertes. Cependant, et je parle d'expérience encore une fois, il faut savoir identifier les pièges du jeu en observant autour de soi les résultats des machines avant de commencer à jouer. Dans tous les casinos, il y a de longs moments où rien ne se passe, où on a le sentiment que personne ne gagne. Puis, les machines peuvent soudain se mettre à cracher des gros lots très alléchants. Parfois en rafale et malgré de faibles mises.

Mais la dure loi du hasard permet rarement de gagner à long terme contre le casino, même si les joueurs aiment radoter *ad nauseam* à propos de leurs jackpots à nuls autres pareils. Je ne fais pas exception à la règle, mais comme je ne fréquente pas les casinos sur une base régulière, la somme de mes gains s'élevant à des milliers de dollars, étalée sur quelques années, compense sans doute la plus grande partie de mes pertes. Les joueurs qui sont accros ont de la difficulté à admettre ce brutal mais indiscutable constat.

Les seuls véritables gagnants des casinos sont les propriétaires, de même que les pays et les États où ils sont établis. Dans ce dernier cas, on peut affirmer qu'il existe une hypocrisie généralisée à propos du jugement porté sur le jeu par les divers gouvernements. Il est de bon ton de mettre en garde contre l'addiction et d'élaborer des politiques pédagogiques pour inciter les citoyens à restreindre leur fréquentation des jeux d'argent. Mais n'oublions pas que grâce à la fiscalité, les différents gouvernements retirent des milliards de profits des casinos, lorsqu'ils en autorisent la présence sur leurs territoires. De plus, à notre époque où les dirigeants politiques se doivent de contrôler les dépenses publiques, en particulier dans les sociétés occidentales, où les mesures sociales généralisées pèsent sur la dette publique, quel attrait que ces milliards qui entrent dans les coffres de l'État! C'est un moyen efficace et apparemment sans risque de provoquer des manifestations de rue que cette ponction de taxes indirectes volontaires. En effet, les amateurs de jeux d'argent consentent à payer pour jouer et ce ne sont guère eux qui s'organiseront en lobbies et feront pression afin d'exiger une hausse des gains.

Nos gouvernements ont taxé la classe moyenne au-delà des limites de l'acceptable. Grâce au jeu, entre autres, ils retirent des revenus sur les profits des propriétaires de casinos, profits qu'ils déterminent eux-mêmes. Car l'État possède le pouvoir d'accorder, par l'intermédiaire des gouvernements locaux, ou directement selon les pays, les permis d'exploitation des établissements de jeu, que ce soit des casinos, des loteries, des courses en tous genres ou des jeux en ligne.

Au Québec, le gouvernement est le maître absolu en la matière, puisqu'il est à la fois propriétaire et gestionnaire des casinos, des machines de vidéopoker répandues à travers le territoire, des jeux en ligne et des loteries. Mais son monopole est mis à mal par la présence de casinos au-delà de ses frontières, que fréquentent de plus en plus les joueurs québécois mécontents de ne pas remporter des gains plus fréquemment. La compétition des casinos situés sur les réserves indiennes, à Akwesasne, par exemple, dans l'État de New York, à seulement 120 kilomètres de Montréal, se fait sentir. En témoigne la baisse de revenus des casinos du Québec. Sans le milliard de dollars de revenus découlant du jeu, les divers programmes sociaux du Québec, déjà visés par les réductions budgétaires, seront davantage mis à mal.

Il existe au Canada un avantage étonnant, en un sens, pour les joueurs, car le gain du jeu, quel qu'il soit, n'est pas imposable, contrairement à ce que l'on trouve aux États-Unis et dans plusieurs pays européens, sauf en France et au Royaume-Uni. Un gain de 500 millions de dollars à la loterie Powerball américaine est taxé à 43%, ce qui comprend les taxes fédérales et celles des États cumulées. En France, les joueurs sont exemptés de taxes sur leurs gains, sauf les étrangers. J'ai d'ailleurs eu l'occasion à deux reprises de payer un pourcentage d'environ 30% sur deux gros lots, contribuant ainsi, je l'espère, à financer la culture française.

Le «qui perd gagne» s'applique moins aux joueurs que le «qui gagne perd». Ceux qui s'adonnent au jeu par plaisir sans basculer dans la compulsion savent que cette passion se paie, comme bien d'autres auxquelles se livrent les êtres humains. Ce qui est le cas de la quasi-majorité des joueurs qui, à la pratique, se rendent bien compte que l'on joue beaucoup moins pour l'argent que pour éprouver ces émotions si diversifiées, si fortes et si réjouissantes que procure l'idée folle que la vie peut en un instant se transformer en rêve.

Chapitre 20

EN GUISE DE CONCLUSION

Ma vie durant, je me suis tenue à l'écart du monde des joueurs. Dans ma famille, on buvait beaucoup, les fins de semaine surtout, mais personne ne croyait être alcoolique. On parlait plutôt d'ivrognes et d'ivrognesses, car quelques tantes, de même que ma propre mère, levaient le coude plus haut que l'épaule dans des séances de beuverie mémorables, déjantées et quelque peu embarrassantes pour la petite fille que j'étais.

Je n'ai connu aucun joueur excessif parmi mes proches. Seule ma tante célibataire jouait à l'argent les fins de semaine avec ses amis réguliers. Du vendredi soir au dimanche matin, messe oblige, le groupe se réunissait dans la cuisine des uns et des autres pour jouer aux cartes et s'adonner à cette passion sans interruption, c'est-à-dire sans dormir. Ils engloutissaient des montagnes de sandwichs, des litres de café, mais l'alcool se faisait rare. À cinq ans, j'accompagnais ma tante, l'aînée de la famille, qui «m'empruntait» à ma mère, sa sœur cadette, ce qui explique pourquoi cette dernière n'osait pas le lui refuser. J'ai adoré ces moments d'intensité où je dormais sur un petit lit que l'on dépliait pour moi, à quelques mètres de la table dont le centre était rempli de billets de banque, et où se déroulait ce grand théâtre de la partie de cartes interminable. À mes yeux, ces adultes, riant à gorge déployée, s'enrageant par moments à cause d'un mauvais jeu, incarnaient la liberté. Ils se moquaient du temps, ne faisant plus la différence entre le jour et la nuit, et surtout, lançaient avec des gestes larges des billets verts, l'air de dire «on s'en fout». Élevée dans l'obsession de l'argent par un père radin qui faisait des colères chaque fois que ma mère lui en demandait pour acheter de la nourriture ou d'autres objets de première nécessité, j'ai découvert auprès de mes tantes adorées tous ces adultes qui balançaient l'argent en s'esclaffant et qui en perdaient sans faire de drame, et cela me remplissait de bonheur.

Je crois bien que le plaisir que je retire du jeu n'est pas étranger à cette initiation dans ma petite enfance. Entre ma marraine et ses petites machines à sous et sa sœur la joueuse de cartes, j'ai cultivé le désir de changer de vie. De gagner en quelque sorte sur les tyrannies de mon enfance et le déterminisme de ma classe sociale.

Le monde du jeu, y compris celui des casinos, car rares sont les joueurs qui ne se limitent qu'au casino, est en expansion. L'avenir du jeu est lié au développement des technologies, qui permettent de créer de nouveaux produits aussi spectaculaires que propres a susciter la dépendance. Cette dernière se vérifie partout. Dans tous les endroits publics, les gens sont branchés, un téléphone vissé au creux de la main. De jeunes enfants dorment avec le leur et pire, se réveillent pour le consulter ou jouer à leurs jeux préférés. Les enseignants sont désormais aux prises avec cette dépendance des jeunes, mais ont peu de moyens de leur interdire ces objets qui peuvent aussi servir d'instrument pédagogique. Il n'y a pas de confusion possible entre un casino et un établissement scolaire, mais l'ordinateur contient l'un et l'autre.

En d'autres termes, le choix de l'utilisation se fait par un simple clic : apparaît alors le jeu de poker ou la galerie des Glaces de Versailles. Et à l'évidence, la partie de poker est plus attrayante pour une majorité de gens que la galerie des Glaces.

Les jeux de hasard sont certes tributaires de la situation économique du moment, mais n'est-il pas possible de penser que la morosité actuelle peut avoir un effet tel que le désir de gagner, d'être récompensé en fait grâce au hasard, attire de plus en plus d'adeptes vers tous les types de jeu ?

Les casinos sont là pour rester et se développer, malgré les prédictions des idéologues de science-fiction qui croient que la vie future ne se vivra qu'en ligne. Les casinos sont les églises des amateurs de jeu. Si certains disparaissent, comme à Atlantic City, dans l'État du New Jersey aux États-Unis, d'autres, dans le même État d'ailleurs, se développent et prospèrent. En France, si vous interrogez un Français sur le nombre de casinos à travers le pays, il vous répondra 25, 30 ou 40, alors qu'il y en a présentement 198 et que nombre de communes projettent d'accorder des permis d'exploitation à Barrière et Partouche, les groupes qui les possèdent.

Au Québec, compte tenu de l'opposition de plusieurs groupes sociaux, le gouvernement serait mal venu d'ouvrir de nouveaux casinos, mais dans des villes comme Trois-Rivières et Québec, il existe des aires de jeux, de véritables mini-casinos déguisés à vrai dire, qui rapportent des revenus substantiels dans les coffres de l'État.

Tous les établissements de jeu sont des vaches à lait pour les gouvernements, à quelque niveau que ce soit, répétons-le. Les taxes indirectes, surtout volontaires car personne n'est obligé de jouer, sont les bienvenues, et c'est la raison pour laquelle la prévention contre l'abus du jeu se fait malgré tout discrète.

Un mystère demeure. Le jeu est stigmatisé davantage que d'autres pratiques au parfum de soufre. Les drogues qu'on appelle douces, comme le haschich ou la marijuana, et qui sont pourtant illégales dans la plupart des pays trouvent grâce auprès de nombre de gens, qui en prennent et qui n'ont aucune réticence à le dire. Les amateurs de cocaïne, pour leur part, ont peu de gêne à admettre aussi qu'ils en consomment. Cela fait plutôt chic et tendance dans certains milieux. Il en va de même de l'usage de calmants, de speed, de somnifères par tant de gens qui l'avoueront volontiers. L'excès d'alcool est considéré comme une faiblesse, mais il ne viendrait à l'idée de personne d'attribuer des tares intellectuelles aux alcooliques et autres buveurs au quotidien, qui n'ont aucune pudeur à raconter leurs cuites occasionnelles, qu'ils décrivent comme des moments de plaisir sans contrainte. Bien qu'ils n'en éprouvent aucune fierté, ils se sentent rarement honteux ou coupables.

Pour le jeu, c'est une tout autre affaire. Rares sont ceux qui se vantent de jouer. Un écrivain français m'a confié qu'il s'interdisait d'admettre à ses proches qu'il jouait. Dans son milieu, reconnu partout comme étant affranchi et libre, deux faussetés à l'évidence, faire son *coming out* en s'avouant un joueur invétéré est un risque qu'il n'ose prendre. Pourtant, tel Dominique Strauss-Kahn, l'ex-directeur du Fonds monétaire international, il pourrait afficher, sous couvert de libertinage, des pratiques sexuelles extravagantes ou déviantes sans crainte d'être jugé par une partie relativement importante de la population.

Comment expliquer la mauvaise réputation du jeu, sa connotation si négative ? À l'exception du poker, que quelques grandes vedettes, dont René Angélil et Patrick Bruel, et des films hollywoodiens ont magnifié. N'est-ce pas à cause de la possibilité d'accès direct à de l'argent, énormément d'argent qui n'a pas été gagné par le travail que le jeu est si mal perçu ? Nous ne sommes plus ici dans la logique de la méritocratie, de la récompense du travail accompli ou de la loi de l'héritage. À vrai dire, les joueurs usent de l'argent sans respect, sans sentiment d'insécurité, avec une légèreté et une inconséquence de cigale. Les joueurs retirent leur plaisir en brisant d'une certaine manière le tabou rattaché à l'argent. Il faut peut-être en conclure que l'on tolère moins une désacralisation de l'argent que de la sexualité.

La quasi-totalité des joueurs ne se transforment pas en esclaves, les statistiques le démontrent. Ils vivent dans des sociétés où la liberté individuelle constitue une des valeurs fondamentales. Les jeux d'argent sont une activité encadrée, certes, et tout à fait légale. On doit donc s'étonner que les spécialistes du jeu consacrent la majeure partie de leurs travaux au phénomène de l'addiction. De tous les excès auxquels se livre l'être humain, les jeux d'argent semblent les plus suspects, les plus blâmables, les plus détestables.

Ce monde n'attire pas que des mafieux. Lorsqu'il est contrôlé et encadré par des lois votées par les élus du peuple, qu'on y assure une prévention efficace contre l'addiction, il n'y a aucune raison de vouloir l'interdire comme on le fait, au nom de la religion, dans des pays où la démocratie n'existe pas et les droits humains sont violés au quotidien.

Il faut par contre s'inquiéter dans l'avenir des jeunes qui aujourd'hui s'intoxiquent en usant de la quincaillerie technologique, celle qui les mènera vers les jeux d'argent. L'éducation aux excès, à tous les excès, doit donc se faire dans l'enfance. La déification de l'argent empoisonne les esprits. Il n'est pas outrancier d'affirmer que le plaisir de jouer peut aussi exprimer un rejet du veau d'or. Et dans ce contexte, empiler des jetons sur un tapis vert et nourrir de billets des machines à sous est non seulement une façon de défier le hasard, mais un plaisir aussi violent que fugace suscité par la conscience de l'insignifiance de l'argent. C'est, aussi choquant et contestable que cela puisse paraître, une expression singulière de la liberté.

REMERCIEMENTS

Je tiens à remercier André Alarie et René Garceau, qui m'ont éclairée avec leurs témoignages sur la pratique du jeu. Je les ai rencontrés au casino et l'amitié que nous avons tissée au fil des ans est le gain le plus tangible de mon expérience de joueuse.

TABLE DES MATIÈRES

Avant-propos   9

Chapitre 1
Le jeu à travers l'histoire   11

Chapitre 2
Le procès du jeu   17

Chapitre 3
Les casinos : temples du jeu   21

Chapitre 4
Les plaisirs du jeu   27

Chapitre 5
Les femmes et le jeu   35

Chapitre 6
Les hommes et les casinos   41

Chapitre 7
Les nouvelles machines : addiction à la clé   47

Chapitre 8
Visite guidée des casinos à travers le monde   53

Chapitre 9
L'exception française   61

Chapitre 10
Las Vegas, lieu de perdition 65

Chapitre 11
Le Québec et ses casinos 71

Chapitre 12
La psychologie du jeu. 79

Chapitre 13
Les misères du jeu 85

Chapitre 14
Le jeu et la solitude. 91

Chapitre 15
Le casino comme refuge 97

Chapitre 16
Les manières de jouer 105

Chapitre 17
Des recettes pour gagner ? 111

Chapitre 18
Les jeunes et le jeu 117

Chapitre 19
Les vrais gagnants 123

Chapitre 20
En guise de conclusion 129

Remerciements 135